COMMENT RÉUSSIR UNE NÉGOCIATION

De William Ury

AUX MÊMES ÉDITIONS

Comment négocier avec les gens difficiles
De l'affrontement à la coopération
Seuil, 1993

ROGER FISHER ET WILLIAM URY
RESPONSABLE DE L'ÉDITION BRUCE PATTON
nouvelle édition revue et complétée
ROGER FISHER, WILLIAM URY
ET BRUCE PATTON

COMMENT RÉUSSIR UNE NÉGOCIATION

TRADUIT DE L'ANGLAIS
PAR LÉON BRAHEM

ÉDITIONS DU SEUIL
*27, rue Jacob, Paris VIe*

Les recherches menées à l'université Harvard sont destinées à la publication. Toutefois, les jugements, opinions, conclusions et recommandations ainsi exprimés n'engagent que leurs auteurs. La publication n'implique en aucune manière une quelconque adhésion, approbation ou sanction de l'université Harvard, de ses divers départements, de son président ni des membres de sa direction collégiale.

A nos pères, Walker Fisher et Melvin Ury,
qui ont su par leur exemple nous enseigner
la force des principes.

Titre original : *Getting to yes*

Houghton Mifflin Company, Boston
ISBN 0-395-31757-6

ISBN 2-02-020512-2
(ISBN 2-02-006259-3, 1re publication française)

Préface
à cette nouvelle édition

Ces dernières années l'intérêt pour la négociation a connu une extension considérable dans le domaine universitaire comme dans toute pratique professionnelle. On l'a vu, entre autres, avec la publication de nouveaux ouvrages théoriques, la réalisation de nouvelles études de cas et le lancement de nouvelles recherches empiriques. Il y a dix ans, rares étaient les écoles professionnelles proposant des cours sur la négociation ; elles sont maintenant légion. Dans les universités, on commence à trouver des départements spécialisés dans la négociation. Au sein des cabinets de consultants également.

Dans ce paysage intellectuel changeant, nos idées ont bien résisté. Elles ont gagné attention et intérêt de la part d'un large public et ont souvent servi de point de départ à de nombreux travaux. Pour nous aussi, les auteurs, heureusement, elles demeurent valides. La plupart des questions et des commentaires émis à la parution de la première édition portaient sur des passages parfois ambigus ou sur des points à propos desquels les lecteurs souhaitaient des conseils plus détaillés. Nous avons essayé de répondre aux plus importants dans cette nouvelle édition.

Plutôt que de toucher vraiment au corps du texte — et de devoir demander aux anciens lecteurs de chercher les modifications —, nous avons choisi d'ajouter ces éclaircissements, sous la forme d'un post-scriptum, à la fin de cette nouvelle édition. Ainsi, à peu de choses près, le corps du texte reste inchangé.

Nous espérons que nos réponses aux « dix questions que les lecteurs se posent à propos de *Comment réussir une négociation* » seront utiles à ceux qui avaient des interrogations.

Ces questions portent sur : 1. le sens et les limites de la négociation raisonnée (sous l'aspect pratique et non moral) ; 2. comment traiter avec quelqu'un qui paraît irrationnel ou qui a un système de valeur ou un comportement différent, ou une autre façon de négocier ; 3. les tactiques : où se rencontrer, qui doit faire la première offre et comment, après avoir imaginé des solutions, passer aux moyens concrets de s'engager et ; 4. le rôle du pouvoir dans la négociation.

Des développements supplémentaires devront attendre d'autres livres. Les lecteurs souhaitant en savoir plus sur comment traiter les « questions de personne » pour établir une bonne relation de travail, liront avec profit *D'une bonne relation à une négociation réussie* de Roger Fischer et Scott Brown. Ceux qui souhaitent surtout savoir comment agir dans des situations ou avec des gens difficiles, liront *Comment négocier avec des gens difficiles* de William Ury. D'autres livres suivront certainement. Il reste encore beaucoup à dire sur le pouvoir, les négociations multilatérales, les transactions interculturelles, les styles personnels et de nombreux autres sujets.

A nouveau nous remercions Marty Linsky, cette fois pour avoir relu d'un œil attentif et corrigé d'une plume assurée nos ajouts. Nos remerciements particuliers à Doug Stone pour ses critiques pertinentes, son travail d'édition, et sa réécriture ponctuelle des différentes versions de ces ajouts. Il a un don mystérieux pour pointer ce qui est peu clair.

Roger Fischer, William Ury, Bruce Patton.

Depuis plus d'une douzaine d'années, Bruce Patton travaille avec nous à la formulation et à l'explicitation des idées contenues dans ce livre. L'année dernière, il s'est livré à la tâche difficile de mettre en forme notre réflexion commune. C'est avec plaisir que nous souhaitons la bienvenue à Bruce, éditeur de la première édition, comme coauteur de cette nouvelle édition.

Remerciements

« Comment régler les différends qui surgissent entre les hommes ? » : cette question très simple est à l'origine du présent ouvrage. Aussi bien dans les familles qu'à l'échelle des nations, à tous moments, on doit faire face à la même difficulté : réussir à convaincre sans faire la guerre. Que conseiller, par exemple, à deux époux en instance de divorce qui cherchent à conclure à l'amiable un accord judicieux dont l'un et l'autre puissent être satisfaits ? Cette question est plus délicate encore si elle préoccupe un seul des époux.

Formés l'un au droit international et l'autre à l'anthropologie, nous avons eu l'occasion de soumettre nos idées à toutes sortes de gens, depuis les mineurs de fond jusqu'aux administrateurs de grandes compagnies pétrolières, en passant par des juristes, des hommes d'affaires, des membres du gouvernement, des magistrats, des responsables de l'administration pénitentiaire, des diplomates, des courtiers en assurances et des militaires. A tous ceux qui nous ont fait profiter de leurs expériences et de leurs suggestions, nous exprimons ici notre profonde gratitude.

A vrai dire, tant de gens ont participé, et dans une si large mesure, à notre apprentissage au cours des années, qu'il nous serait difficile de préciser ce que nous devons à chacun d'entre eux. Nous ne pouvons tous les nommer, et ils comprendront que si nous n'avons pas mis de notes de références en bas de pages, ce n'est pas que nous prétendons à l'originalité de nos idées, mais bien pour faciliter la tâche de nos lecteurs.

Nous ne saurions, pourtant, passer sous silence ce que nous devons à Howard Raiffa. Ses critiques bienveillantes et toujours constructives nous ont permis de parfaire notre méthode. Nous nous sommes directement inspirés de ses idées pour les chapitres dans lesquels nous traitons de l'art d'exploiter les différences pour rechercher des avantages mutuels et d'utiliser des procédures originales pour résoudre tel problème délicat. Louis Sohn, inventeur et négociateur sans égal, s'est toujours montré encourageant et a su nous communiquer son dynamisme et son esprit créateur. C'est de lui que nous tenons entre autres l'idée que nous avons baptisée « Procédure à texte unique », qui consiste, comme on le verra, à procéder par élimination pour élaborer un texte qui servira de base à la négociation. Et nous voudrions remercier Michael Doyle et David Straus pour les perspectives nouvelles qu'ils nous ont ouvertes sur le déroulement des séances de « remue-méninges [1] ».

Nous avons été souvent bien en peine d'illustrer clairement et agréablement notre propos. C'est pourquoi nous sommes reconnaissants à Jim Sebenius de nous avoir communiqué quelques anecdotes sur la Conférence internationale du droit de la mer, à Tom Griffith pour son récit des négociations qu'il a menées avec un agent d'assurances

1. J'emprunte cette excellente et amusante traduction de *brainstorming* à un auteur que je remercie, bien que j'aie oublié son nom (*NdT*).

et à Mary Parker Follett qui nous a raconté la très édifiante querelle des deux clients d'une bibliothèque.

Nous tenons à exprimer tout spécialement notre gratitude à ceux et à celles qui ont lu le livre aux différents stades de sa composition, sans oublier nos étudiants des séminaires de négociation de janvier 1980 et 1981, à la faculté de droit de Harvard, et nos collègues Frank Sander, John Cooper et William Lincoln qui dirigèrent ces séminaires avec nous. Il nous faut encore remercier ceux des membres du séminaire de négociation de Harvard que nous n'avons pas mentionnés, John Dunlop, James Healy, Davis Kuechle, Thomas Schelling et Lawrence Susskind qui nous ont écoutés patiemment ces deux dernières années et nous ont offert leurs suggestions ; bref, jamais nous ne pourrons dire tout ce que nous devons à nos amis et à nos collègues, mais il est évident que la responsabilité du contenu de cet ouvrage nous incombe en dernier ressort et que, si le résultat n'est pas parfait, nous ne pouvons nous en prendre qu'à nous-mêmes.

Merci à Caroline Fisher, David Lax, Frances Turnbull et Janice Ury, nos parents et nos amis, pour avoir su nous apporter leur soutien constant et nous avoir aidés de leurs judicieuses critiques. Sans eux, la rédaction de ce livre aurait été pour nous une tâche fastidieuse, et, d'ailleurs, sans Francis Fisher nous n'aurions rien fait puisque c'est lui, il y a quatre ans, qui a eu la bonne idée de nous présenter l'un à l'autre.

Que soient aussi remerciées Deborah Reimel pour son infaillible compétence et l'aimable rigueur de ses remarques ainsi que Denise Trybula qui ne s'est jamais départie d'une bonne humeur pleine de dévouement. Nous n'aurions pu souhaiter la collaboration d'un secrétariat plus efficace. Une mention spéciale au groupe du Word Processing, dirigé par Cynthia Smith, qui a accepté de lire des montagnes de brouillons à un rythme proprement démentiel.

Enfin, nous tenons à remercier nos directeurs de collection. Marty Linsky a réorganisé et coupé au moins la moitié de l'ouvrage ; ce faisant, il a épargné nos lecteurs, s'il n'a pas épargné nos sensibilités ! Nous exprimons aussi notre gratitude à Andrea Williams, à notre agent Julian Bach, également à Richard McAdoo et ses associés du Houghton Mifflin qui ont permis la sortie de notre ouvrage.

Mais notre plus grande dette de reconnaissance, c'est à l'égard de notre ami et collègue Bruce Patton que nous l'avons contractée. Dès le début, il a travaillé avec nous tant au débrouillage des idées qu'à la mise en forme du livre proprement dit ; non content de revoir la construction de chaque chapitre, il les a relus et corrigés mot à mot. Si l'on parlait d'un livre comme d'un film, le présent ouvrage serait une production Patton.

Roger Fisher, William Ury.

Introduction

Que nous le voulions ou non, nous sommes tous des négociateurs. La négociation est un élément constitutif de notre vie. On négocie une éventuelle augmentation avec son employeur. On négocie encore avec un inconnu dont on désire acheter la maison. Ces deux avocats qui tentent de régler un différend surgi d'un accident d'automobile négocient un accord qui évitera de recourir aux tribunaux. Plusieurs compagnies pétrolières envisagent-elles d'entreprendre des forages sous-marins en commun ? Elles négocient un protocole d'association. Les syndicats des transports en commun d'une grande ville menacent d'appeler à la grève — le maire les reçoit pour négocier. Et quand le secrétaire d'État aux Affaires étrangères des États-Unis reçoit son homologue soviétique, les deux hommes négocient un accord de limitation de la course aux armements. Négociations, encore et toujours négociations.

C'est chaque jour que nous sommes appelés à négocier, tous tant que nous sommes. Semblables à M. Jourdain, ravi d'apprendre qu'il avait, sa vie durant, fait de la prose, toutes sortes de gens négocient sans même le savoir. Dans quel restaurant irons-nous dîner ce soir ? Négociations ! A quelle heure convient-il que notre enfant éteigne la lumière ? Négociations ! La négociation n'est au fond qu'un moyen d'obtenir des autres ce que l'on désire. C'est une forme de communication bilatérale destinée à produire un accord entre des gens qui possèdent à la fois des intérêts communs et des intérêts opposés.

Et les occasions de négocier ne cessent de se multiplier, au fur et à mesure que les situations conflictuelles deviennent plus nombreuses. Car la participation et la « concertation » sont à l'ordre du jour ; ceux qui acceptent de se laisser dicter une décision sont chaque jour plus rares. Les opinions, les désirs, les intérêts divergent, et c'est à la négociation de régler ces divergences. Quel que soit le domaine, la plupart des décisions résultent d'une négociation.

Quotidienne, omniprésente donc, la négociation n'est pas facile pour autant. Les tactiques classiques, communément utilisées, laissent trop fréquemment les gens mécontents, épuisés ou brouillés les uns avec les autres — quand ce n'est pas les trois à la fois.

C'est qu'on se croit confronté à un dilemme. Deux voies semblent s'ouvrir : celle de la douceur et celle de la dureté. Le négociateur « doux » veut éviter les conflits de personne, il est donc prêt à toutes les concessions pour parvenir à un accord. Il recherche une solution amiable mais, trop souvent, à l'issue de la négociation, il connaîtra le sentiment amer d'avoir été exploité, de s'être « laissé avoir ». Le partisan de la manière forte, le négociateur « dur », envisage, lui, toutes les situations comme un affrontement de volontés ; le camp qui saura adopter les positions les plus extrêmes et les défendre avec le plus d'obstination aura toutes les chances de l'emporter. Il veut gagner et ne parvient bien souvent qu'à susciter en face de lui des réactions d'une égale dureté qui l'épuiseront, le laisseront à court d'arguments et finiront par détériorer ses relations avec son vis-à-vis. Toutes les autres techniques classiques peuvent se ramener à une combinaison de ces deux extrêmes, et toutes comportent en tout cas, sous une forme ou une autre, la recherche d'une cote mal taillée entre deux nécessités contradictoires : celle d'obtenir ce que l'on désire et celle de s'entendre avec l'adversaire.

Il existe une solution de rechange, un moyen d'échapper au dilemme, un moyen d'être dur *et* doux, ferme et conciliant à la fois. C'est la méthode de *négociation raisonnée* (*principled negotiation*), mise au point à Harvard dans le cadre du *Negotiation Project* [1]. Elle consiste à trancher les litiges « sur le fond » plutôt qu'à discutailler interminablement des concessions que les parties en présence sont prêtes à consentir et de celles qu'elles refusent. Chaque fois que c'est possible, on s'attachera à rechercher les avantages mutuels, et, quand les intérêts seront manifestement opposés, on insistera pour que les questions soient tranchées au regard d'un ensemble de critères « justes », indépendants de la volonté des parties en présence. La négociation raisonnée permet d'être dur quant aux questions débattues mais doux avec les négociateurs eux-mêmes. Elle exclut les trucages et les attitudes théâtrales. Elle permet d'obtenir ce que l'on est en droit d'attendre sans perdre sa dignité ni menacer celle d'autrui. Elle favorise l'honnêteté et la bonne foi des négociateurs tout en les protégeant contre une éventuelle exploitation de cette

1. Le *Harvard Negotiation Project* est un centre de recherche et d'enseignement de l'université de Harvard, qui a pour objectif de développer et de faire connaître des méthodes éprouvées de négociation.

honnêteté et de cette bonne foi par un adversaire déloyal.

Notre ouvrage se propose d'exposer cette méthode. Le premier chapitre permettra de décrire les problèmes auxquels se heurtent les méthodes de la négociation et du marchandage classiques que nous appelons « négociation de position ». Les quatre suivants sont consacrés aux quatre grands principes de la négociation raisonnée. Les trois derniers, enfin, fournissent la réponse aux questions les plus fréquemment posées à propos de notre méthode : que se passe-t-il quand la partie adverse est manifestement plus puissante ? Quand elle refuse de jouer le jeu ? Quand elle triche ou recourt à des moyens déloyaux ?

La négociation raisonnée est une méthode destinée à tous, et tout un chacun peut y recourir avec profit, depuis le chef de la diplomatie américaine dans ses relations avec les Soviétiques jusqu'au père et à la mère de famille dans leur vie quotidienne en passant par les grands avocats d'affaires plaidant la cause des plus grandes entreprises industrielles du globe.

Chaque négociation est en effet un cas d'espèce, mais toutes possèdent un ensemble de traits communs qui sont fondamentaux. Notre méthode est utilisable dans tous les cas, c'est une méthode de négociation « tous azimuts ». Qu'il s'agisse de régler un problème unique ou plusieurs questions à la fois, que les parties en présence soient deux ou trente-huit, qu'il existe un cadre institutionnel rigide — comme pour la négociation d'un accord salarial dans une grande entreprise — ou que tous les coups soient permis — comme dans l'ambiance de panique d'une prise d'otages —, la méthode est toujours aussi valide. De même qu'elle permet d'affronter un négociateur chevronné aussi bien qu'un débutant, un adversaire acharné aussi bien qu'un partenaire amical. Enfin, au contraire de la quasi-totalité des autres tactiques, elle n'a nul besoin d'être gardée secrète. Que l'adversaire vienne à la connaître et son application, loin d'être plus difficile, en sera facilitée. Pour tout dire, si la partie adverse a lu le présent ouvrage, tout sera pour le mieux !

I. Le différend

. Pas de négociations
sur des positions.

1. Pas de négociations sur des positions

Qu'il s'agisse de négocier un contrat, de régler un différend familial, ou de conclure un traité de paix international, on voit les gens se lancer d'ordinaire dans une négociation de position. Chacune des parties en présence adopte une position, présente des arguments en sa faveur, puis fait des concessions afin de parvenir à un compromis. L'exemple classique de ce pas-de-deux est le marchandage, tel qu'il se produit quotidiennement entre brocanteurs et clients :

CLIENTE	BROCANTEUR
Quel est le prix de ce plat de cuivre ?	
	C'est une belle pièce, vous ne trouvez pas ? Bah, je peux vous le laisser à 75 dollars.
Vous plaisantez ! Il est tout ébréché. J'étais prête à vous en donner 15 dollars.	
	C'est vous qui voulez rire ! Faites-moi une proposition sérieuse. 15 dollars, vous n'y pensez pas !
Bien sûr, je pourrais aller jus-	

qu'à 20, mais jamais je ne paierai 75 dollars pour ce plat, voyons, c'est ridicule !

Vous êtes dure, ma petite dame. Allez, pour vous faire plaisir, 60 dollars en liquide et il est à vous.

25 dollars.

Mais je l'ai payé plus que ça ! Faites-moi une proposition sérieuse, je dis bien : sérieuse !

Disons 37 dollars, c'est mon dernier mot !

Vous avez regardé le travail ? Gravé à la main ! Dans un an, les pièces de cette qualité auront doublé de prix !

Et ainsi de suite, à perte de vue. Peut-être que nos deux personnages finiront par s'entendre ; peut-être pas.

Trois critères permettent d'estimer en bonne justice la valeur de toute méthode de négociation : permet-elle d'aboutir à la conclusion d'un accord judicieux, à supposer qu'un accord soit possible ? Est-elle efficace ? Permet-elle d'améliorer ou, à tout le moins, de ne pas compromettre les relations entre les parties en présence ? On peut définir comme suit un accord judicieux : il répond aux intérêts légitimes des parties ; dans la mesure du possible, il résout les conflits d'intérêts équitablement ; il est durable ; il tient compte des intérêts de la communauté.

La façon la plus courante de négocier — celle que nous venons d'illustrer — consiste, pour les négociateurs, à adopter puis à abandonner, successivement, une série de positions.

Pas de négociations sur des positions

Que fait-on quand on adopte une position, comme nous venons de voir la cliente et le brocanteur le faire à tour de rôle ?

On apprend à la partie adverse ce que l'on veut. On s'assure d'un point d'ancrage solide face aux pressions d'une situation incertaine. Enfin, on fournit les bases sur lesquelles un accord éventuel pourrait être bâti. Or, il existe d'autres moyens de parvenir aux mêmes fins. Et le marchandage sur des positions ne satisfait pas aux trois critères définis plus haut, il ne permet pas d'aboutir à l'amiable à un accord judicieux conclu en toute efficacité.

La discussion sur des positions ne permet pas d'aboutir à un accord judicieux.

Quand des négociateurs s'affrontent sur des positions, ils tendent à s'enfermer dans les positions en question. Plus on expose clairement une position, plus on la défend contre les attaques, plus on s'y attache. Plus on s'acharne à convaincre la partie adverse qu'on est dans l'impossibilité de changer sa position initiale, plus on aura effectivement de mal à le faire le moment venu. Ce sera une question d'amour-propre. On aura tôt fait de s'empêtrer dans la nécessité de « sauver la face », de concilier les actes à venir avec les positions passées ; bref, on repoussera d'autant l'éventualité d'un accord susceptible de concilier judicieusement les intérêts des parties en présence.

La rupture des pourparlers menés, sous la présidence de Kennedy, pour l'interdiction des expériences nucléaires en fournit une bonne illustration. Les pourparlers achoppèrent sur une question délicate : combien d'inspections annuelles de leurs territoires respectifs l'URSS et les États-Unis devraient-ils autoriser aux équipes d'experts chargées d'enquêter sur les secousses sismiques suspectes ? L'Union soviétique finit par se déclarer d'accord pour trois inspections annuelles. Les États-Unis n'en exigeaient pas moins de dix par an. Et les pourparlers s'interrompirent là — chacun restant sur ses positions — sans que personne se fût seulement avisé de faire préciser si, par *inspection,* on entendait l'enquête effectuée par une personne pendant une journée ou le travail d'un mois d'une équipe de cent personnes fouinant un peu partout. Les deux parties ne s'étaient nullement préoccupées de mettre au point un protocole d'inspection permettant de concilier l'intérêt des États-Unis pour une vérification digne de ce nom et le désir, partagé par les deux pays, de limiter le plus possible les intrusions étrangères.

Plus on concentre d'attention sur les positions en présence, moins on en accorde aux préoccupations qui les sous-tendent et qu'il conviendrait d'apaiser. Les chances d'aboutir à un accord s'éloignent d'autant. Et, lorsqu'un accord est conclu, le risque est grand qu'il s'agisse plus d'une manière de couper la poire en deux que d'une solution soigneusement étudiée et mise au point afin de satisfaire les intérêts légitimes des parties en présence. Bref, l'accord est bien souvent moins avantageux qu'il n'aurait pu l'être pour les uns et les autres.

La discussion sur des positions est dépourvue d'efficacité.

La méthode classique de négociation permet soit d'aboutir à un accord, le brocanteur vendant le plat de cuivre à sa cliente ; soit à une rupture, les États-Unis et l'URSS ne parvenant pas à se mettre d'accord sur un nombre d'inspections annuelles de leur territoire. Dans un cas comme dans l'autre, les négociations sont laborieuses et traînent en longueur.

Le fait même de discuter sur des positions crée de bonnes raisons de retarder la conclusion d'un accord. Pour accroître les chances d'aboutir à un accord qui lui soit favorable, chaque négociateur adopte une position de départ aussi extrême que possible, s'y accroche avec la dernière obstination, trompe la partie adverse sur ses opinions véritables et ne fait que le strict minimum de concessions nécessaire pour la poursuite des négociations. Tout cela ne peut que retarder la conclusion d'un accord. Plus la position initiale sera extrême et les concessions minimes, plus il faudra de temps et d'efforts pour découvrir si un accord est ou non possible.

Outre ces désavantages, le petit ballet des négociations classiques requiert un nombre considérable de décisions individuelles : chaque négociateur doit décider de ce qu'il propose, de ce qu'il refuse, des concessions qu'il convient de consentir au fur et à mesure. Dans le meilleur des cas, la prise de décision est toujours difficile et lente. Quand on sait que chaque concession entraînera vraisemblablement la partie adverse à accentuer sa pression afin d'en obtenir d'autres, on n'est guère porté à agir vite. On traîne, on fait de l'obstruction, on menace de se retirer, bref, on cherche par tous les moyens à gagner du temps, c'est-à-dire à en perdre. Les chances d'aboutir à un accord sont repoussées à plus tard quand elles ne sont pas définitivement compromises.

La discussion sur des positions compromet les relations existantes.

La discussion ainsi conçue devient un affrontement de volontés. Chaque négociateur expose ce qu'il veut et ce qu'il ne veut pas. Au lieu de mettre au point ensemble une solution acceptable pour toutes les parties en présence, on se bat. Chacun tente, par la seule force de sa volonté, de contraindre l'autre à modifier sa position. « Je ne céderai pas. Si tu veux aller au cinéma avec moi, ce sera *le Faucon maltais* ou rien. » Colère, rancune, ressentiment sont les produits naturels d'une situation dans laquelle une des parties en présence estime qu'elle est contrainte de ployer devant la volonté obstinée de l'autre tandis que ses préoccupations légitimes sont négligées. Ainsi conçue, la négociation est source de tensions entre les parties et risque de détériorer les relations existantes. On voit des entreprises qui commerçaient ensemble depuis des années interrompre toute collaboration. On voit des voisins cesser de s'adresser la parole. La colère et la rancœur suscitées par une aventure de ce genre durent parfois toute une vie.

Quand les parties en présence sont nombreuses, la négociation sur des positions est pire encore.

Si, pour des raisons de commodité, nous n'avons évoqué que deux parties en présence — soi et la partie adverse —, en réalité, la quasi-totalité des négociations englobe plus de deux personnes : plusieurs camps différents sont réunis autour de la table, ou chaque camp est constitué d'électeurs, de membres d'un conseil d'administration, de représentants d'un comité avec lesquels il faut traiter. Plus il y a de monde qui participe à une négociation, plus graves sont les inconvénients de la discussion sur des positions. Et s'il y a cent cinquante pays en présence, ce qui est fréquent aux conférences des Nations unies, il est à peu près impossible de s'en tenir à ce type de négociation. Il suffit qu'un seul des participants refuse une proposition pour bloquer la situation. Comment obtenir des concessions réciproques ? A qui les faire ? Et même si l'on pouvait aboutir à des milliers de transactions bilatérales, on serait encore loin d'un accord multilatéral ! Dans ces cas-là, la discussion sur des positions conduit à la formation de coalitions dont les intérêts communs sont bien souvent plus symboliques que réels. C'est ainsi que l'on voit *le* Nord discuter avec *le* Sud, ou *l'*Est avec *l'*Ouest. Le nombre élevé des membres d'un même groupe augmente la difficulté à adopter une position commune ; et quand ce groupe, non sans peine, a fini par prendre une décision, l'en faire changer paraît relever de la gageure. Il en va de même si l'on doit en référer à des autorités supérieures qui, bien qu'absentes de la négociation, ont tout de même force de loi.

La gentillesse ne constitue pas une réponse.

La plupart des gens sont tout à fait conscients de ce qu'il en coûte de négocier à la manière dure, particulièrement dans le domaine des relations. Pour pallier cet inconvénient, on peut pencher pour un style de négociation plus doux ; on traite l'adversaire en ami plutôt qu'en ennemi, on ne cherche plus une victoire mais un accord. La règle de l'art du négociateur « doux » est de faire des propositions et des concessions, de manifester sa confiance à la partie adverse, d'être amical et, enfin, de céder s'il le faut pour éviter tout affrontement.

Nous avons établi ci-dessous un tableau confrontant l'attitude d'un partisan de la manière dure à celle d'un partisan de la manière douce. On pense généralement n'avoir le choix qu'entre ces deux tactiques ou, à la rigueur, pouvoir combiner les deux.

Le négociateur doux concentre son intérêt sur sa relation avec son adversaire ; c'est cette manière de négocier que des parents ou des amis choisiront de préférence. On ne peut nier qu'elle soit efficace, dans la mesure où elle donne des résultats rapides. Quand tout le monde rivalise de générosité et d'ouverture d'esprit, on a toutes les chances d'aboutir à un accord. Mais rien ne garantit qu'il soit judicieux. Certes, ce n'est pas toujours aussi tragique que pour le couple d'O' Henry, ce couple très misérable dont la femme vendit sa chevelure pour offrir une élégante chaîne de montre à son mari bien-aimé tandis que celui-ci vendait sa montre pour acheter de beaux peignes qui embelliraient la chevelure de sa femme. Cependant, un négociateur qui place ses sentiments au-dessus de tout court le risque d'aboutir à un accord peu adapté à ses véritables intérêts.

Mais il y a un risque plus grave à jouer ce jeu-là : se mettre à la merci d'un adversaire dur. Dans la négociation classique, en effet, celui qui s'accroche a l'avantage sur celui qui cède. Le jeu penche du côté du négociateur qui exige sans arrêt des concessions en recourant au besoin à des menaces, au détriment de celui qui est prêt à céder pourvu qu'il n'y ait pas d'affrontement et qu'un accord soit conclu. Le processus conduira à un accord qui ne sera pas

NÉGOCIATION SUR POSITIONS : QUEL JEU CHOISIR ?	
DOUX	DUR
Les participants sont des amis.	Les participants sont des ennemis.
L'objectif est de parvenir à un accord.	L'objectif est de gagner.
On fait des concessions pour cultiver les relations.	On exige des concessions comme condition à la poursuite des relations.
On est « doux » à l'égard des personnes et du différend.	On est « dur » à l'égard des personnes et du différend.
On fait confiance aux autres.	On se défie des autres.
On modifie sa position sans difficulté.	On se cantonne dans sa position.
On fait des offres.	On fait des menaces.
On dévoile ses exigences minimales.	On trompe sur ses exigences minimales.
On accepte des pertes unilatérales pour parvenir à un accord.	On exige des avantages unilatéraux comme prix d'un accord.
On recherche une solution et une seule : celle qu'on les croit prêts à accepter.	On recherche une solution et une seule : celle que l'on peut soi-même accepter.
L'important, c'est de parvenir à un accord.	L'important, c'est de rester sur sa position.
On essaie d'éviter l'affrontement de volontés.	On essaie de gagner dans un affrontement de volontés.
On cède aux pressions.	On exerce des pressions.

forcément judicieux mais qui sera, en tout cas, plus avantageux pour le négociateur dur. Bref, si l'on choisit de jouer en douceur la négociation sur des positions en face d'un adversaire qui, lui, a choisi d'être dur, on risque fort d'y laisser sa chemise.

La négociation se joue sur deux plans à la fois : d'une part l'objet du différend, d'autre part la procédure, habituellement implicite. La première négociation concerne les raisons qui amènent à négocier et qui peuvent être très variées — un salaire, un bail, un prix —, la seconde concerne la manière de négocier — la tactique dure, douce, ou toute autre tactique. Cette seconde négociation, qui, pour ainsi dire, englobe la première, est une « méta-négociation ». Chaque démarche au cours de la discussion a des répercussions sur les deux plans, l'objet du différend et la procédure dont les règles se structurent au fur et à mesure. Elle permet de poursuivre la négociation dans le mouvement ou bien de changer radicalement de méthode. Le choix d'une procédure se fait, en général, sans s'en rendre compte, sauf dans le cas de tractations avec des étrangers, en particulier avec des gens de culture et d'origine différentes. Il convient alors d'établir une procédure de négociation avant d'entrer dans le vif du sujet. Mais, consciemment ou non, on négocie des règles de procédure à tout moment, même si l'on a l'impression d'être uniquement préoccupé des questions de fond.

La solution de rechange.

Si l'on n'est guère tenté par l'une ou l'autre des tactiques de la négociation classique, il faut changer le jeu.

Dans le cadre du *Negotiation Project,* nous avons élaboré une solution de rechange, une méthode que nous avons conçue expressément pour produire des accords judicieux et efficaces, conclus à l'amiable. La *négociation raisonnée* ou *négociation sur le fond* est une méthode d'une utilisation facile et quasi universelle. Elle repose sur quatre points fondamentaux, chacun définissant un des paramètres communs à toute négociation :

Hommes	Traiter séparément les questions de personnes et le différend.
Intérêts	Se concentrer sur les intérêts en jeu et non sur les positions.
Solutions	Imaginer un grand éventail de solutions avant de prendre une décision.
Critères	Exiger que le résultat repose sur des critères objectifs.

Le premier point souligne le fait que les négociateurs ne sont pas des robots mais des hommes doués de sensibilité ; chacun a sa propre façon de voir les choses, et ne sait pas toujours communiquer avec ses semblables. Cet aspect affectif se mêle habituellement au contenu objectif de la question débattue, et si l'amour-propre s'en mêle, comme dans la négociation sur positions, la situation est encore pire. Il est donc nécessaire, avant d'entrer dans le vif du sujet, de bien dégager l'aspect personnel pour le traiter séparément. Il faudrait que, moralement du moins, les participants se serrent les coudes pour attaquer l'objet du différend ensemble au lieu de s'attaquer les uns les autres. Pour y parvenir, il faut *traiter séparément les questions de personnes et le différend*.

Le second point est conçu pour pallier l'inconvénient des prises de positions. On perd beaucoup à défendre des positions alors que le but de toute négociation est de servir les intérêts sous-jacents de chacun. La négociation classique masque le véritable enjeu de la discussion et les compromis que l'on finit par accepter ne répondent pas toujours aux besoins initiaux des négociateurs. Il faut *se concentrer sur les intérêts en jeu et non sur les positions.*

Le troisième point résout la difficulté que l'on rencontre pour inventer des solutions quand on est tendu. La présence de l'adversaire jette le trouble dans les idées au moment de prendre une décision et, pour peu que l'enjeu soit important, on a l'impression d'être paralysé et l'on cherche la solution unique. Il faut balayer ces obstacles en se réservant un temps donné que l'on consacrera à la mise au point d'une série de solutions qui devront à la fois servir les intérêts communs aux deux parties et harmoniser d'une façon originale les intérêts divergents. Bref, avant d'essayer de conclure un accord, il faut *imaginer des solutions pour un bénéfice mutuel.*

Quand les intérêts sont franchement opposés, l'obstination pure et simple est une méthode qui a ses avantages ; mais elle ne fait que récompenser l'intransigeance et consacre le règne de l'arbitraire. On peut aller contre un négociateur obstiné. Il faut lui faire comprendre que son « Je veux » n'est pas un argument suffisant. Un accord doit être fondé sur un critère juste qui n'a rien à voir avec le bon plaisir de qui que ce soit. Cela ne veut pas dire, évidemment, que l'on doive exiger de négocier selon son propre critère, mais selon des critères objectifs, comme par exemple la valeur marchande, l'avis d'un expert, des traditions ou la loi. Si l'on négocie en appuyant son argumentation sur un critère de ce genre, au lieu de s'en tenir à la seule volonté de chacun, pas un négociateur ne se verra dans l'obligation de plier devant un autre et on aboutira à une solution honorable pour tous. Il faut *exiger un critère objectif.*

Dans le tableau suivant, on peut étudier la négociation

raisonnée en regard de celle sur positions (manière dure et manière douce) ; chacun des quatre points fondamentaux est inscrit en caractères gras.

On utilisera les quatre propositions fondamentales de la négociation raisonnée à tous les stades de la négociation, du moment où l'on commence d'envisager de négocier au moment où l'on aboutit à un accord quand il est possible. On peut diviser cette période en trois stades : l'analyse, la mise au point d'un plan, la discussion proprement dite.

Au premier stade, celui de l'analyse, on fait simplement le point de la situation pour déterminer le différend : on réunit des informations, on les classe, on les étudie. Il faut examiner l'aspect personnel — parti pris, hostilité ou antipathie, difficulté de communication —, en même temps qu'il faut déterminer les intérêts en jeu, les siens et ceux de la partie adverse. On doit aussi prendre note des solutions éventuelles déjà proposées, et étudier tout critère avancé comme base d'accord.

Au deuxième stade, la mise au point d'un plan, même marche à suivre : trouver des idées et un plan d'action. Que faire pour régler les questions de personnes ? Quel est l'enjeu le plus important ? Quels sont les objectifs réalisables ? C'est le stade où l'on cherche des solutions et des critères nouveaux avant de prendre des décisions.

Dernier stade, la discussion. Le dialogue est engagé et les participants recherchent un accord. On utilise la même technique point par point : régler franchement les différends personnels — parler des divergences de perception, des sentiments de frustration, de colère, essayer d'améliorer la communication. Il faut s'efforcer de comprendre les préoccupations de l'autre pour pouvoir ensuite concevoir avec lui des solutions mutuellement avantageuses. Il faut

QUESTION Négociation sur positions : quel jeu choisir ?		SOLUTION Changer de jeu : négocier sur le fond.
DOUX	**DUR**	**RAISONNÉE**
Les participants sont des amis.	Les participants sont des ennemis.	Les participants sont là pour résoudre un différend.
L'objectif est de parvenir à un accord.	L'objectif est de gagner.	L'objectif est de conclure à l'amiable un accord judicieux et efficace.
Faire des concessions pour cultiver ses relations.	Exiger des concessions comme condition à la poursuite des relations.	**Traiter séparément les questions de personnes et le différend.**
Être doux à l'égard des hommes et du différend.	Être dur à l'égard des hommes et du différend.	Être doux à l'égard des hommes et dur à l'égard du différend.
Faire confiance aux autres.	Se défier des autres.	La confiance n'entre pas en ligne de compte.
Changer de position sans difficulté.	Se cantonner dans sa position.	**Se concentrer sur les intérêts en jeu et non sur les positions.**
Faire des offres.	Faire des menaces.	Étudier les intérêts.
Découvrir ses exigences minimales.	Tromper sur ses exigences minimales.	Éviter d'avoir des exigences minimales.
Accepter des pertes unilatérales pour parvenir à un accord.	Exiger des avantages unilatéraux comme prix d'un accord.	**Imaginer des solutions pour un bénéfice mutuel.**
Chercher la solution unique, la seule qu'ils accepteront.	Chercher la solution unique, la seule que l'on acceptera.	Mettre au point des solutions variées parmi lesquelles choisir ; remettre la décision à plus tard.
L'important, c'est de parvenir à un accord.	L'important, c'est de garder sa position.	**Exiger l'utilisation de critères objectifs.**
Éviter un affrontement de volontés.	Vaincre dans un affrontement de volontés.	Obtenir un résultat fondé sur des critères indépendants de la volonté.
Céder aux pressions.	Exercer des pressions.	Raisonner et être ouvert aux raisons de l'adversaire ; céder au principe, pas à des pressions.

enfin rechercher un accord en tenant compte des intérêts opposés et sur la base de critères purement objectifs.

En résumé, la négociation raisonnée, contrairement à la méthode classique, met l'accent sur l'enjeu de la négociation et tente de satisfaire les intérêts respectifs des parties en présence. La caractéristique de l'accord auquel elle permet d'aboutir est d'être un accord *judicieux*. Les participants en arrivent peu à peu à se décider en faveur de telle ou telle solution, en évitant les multiples transactions désagréables inhérentes à la méthode des positions. Leurs décisions sont *efficaces*. Et, pour finir, le fait d'établir une nette distinction entre les aspects personnels de la négociation et son contenu permet de traiter directement et honnêtement avec son adversaire, ce qui est la meilleure façon de conclure un accord *à l'amiable*.

Nous consacrons un chapitre à chacun des quatre points de notre méthode. Mais rien ne vous empêche d'aller feuilleter la fin de l'ouvrage si vous n'êtes pas très convaincu. Vous trouverez dans les trois derniers chapitres la réponse aux questions que l'on pose le plus fréquemment à propos de notre méthode.

II. La méthode

2. Traiter séparément les questions de personnes et le différend.

3. Se concentrer sur les intérêts en jeu et non sur les positions.

4. Imaginer des solutions pour un bénéfice mutuel.

5. Exiger l'utilisation de critères objectifs.

2. Traiter séparément les questions de personnes et le différend

Dès qu'il s'agit de régler un différend, tout le monde rencontre les mêmes difficultés : les gens ne se comprennent pas, se laissent gagner par la colère ou le désarroi et se sentent visés personnellement dès qu'on aborde le sujet.

Pour éclairer notre propos, nous avons choisi deux exemples tirés de la vie réelle.

Dans une usine, un délégué syndical s'adresse aux ouvriers :

— Qui a demandé la grève ?

— Moi, dit Jones en s'avançant, c'est à cause de ce salaud de Campbell, le contremaître. Ça fait cinq fois en deux semaines qu'il m'envoie remplacer un gars d'une autre équipe. Il peut pas me voir et j'en ai assez ! Pourquoi c'est toujours moi qui récolte le sale boulot ?

Un peu plus tard, le même délégué interroge Campbell :

— Qu'est-ce qui se passe avec Jones ? Il dit qu'il a fait cinq remplacements en deux semaines. Pourquoi toujours lui ?

— C'est notre meilleur ouvrier ! Avec lui je suis tranquille, je sais que tout continue de bien tourner dans une équipe même si le chef est absent. D'ailleurs, je ne l'envoie que s'il faut un responsable, sinon je choisis n'importe qui d'autre. C'est vrai qu'on a eu pas mal d'absences chez les chefs d'équipe avec l'épidémie de grippe. Mais je n'ai jamais su que Jones n'était pas content, je croyais qu'il aimait bien les responsabilités.

Nous avons choisi un second exemple dans le monde des assurances. L'avocate d'une compagnie s'adresse au commissaire aux assurances [1] de l'État :

— Merci de m'accorder votre temps que je sais précieux, monsieur le Commissaire. J'aimerais vous entretenir des difficultés qu'ont entraînées pour nous les règles de responsabilité sans faute. La rédaction de ces règles gênent les assureurs des polices à réajustement de prime limité. Nous aimerions envisager avec vous les moyens de réviser certaines clauses.

— Écoutez, l'interrompt le commissaire, votre compagnie a eu l'occasion d'émettre toutes les réserves qu'elle souhaitait lors des séances de travail organisées par mes services sur le sujet. J'y ai assisté personnellement et j'ai tenu le plus grand compte de tout ce qui s'y est dit dans la rédaction définitive des clauses auxquelles vous faites allusion. Où voulez-vous en venir ? Vous m'accusez d'avoir commis des erreurs ?

— Non, mais...

— Alors, c'est que vous mettez en doute mon équité ?

— Absolument pas, monsieur, mais j'estime que ces clauses ont eu des conséquences que personne ne pouvait prévoir et...

1. *State insurance commissioner* : il s'agit d'un fonctionnaire, parfois nommé, parfois élu, selon les États, et chargé de la réglementation et de l'arbitrage des questions d'assurances entre les compagnies, les particuliers et les pouvoirs publics (*NdT*).

— Écoutez, Maître, quand j'ai fait campagne pour le poste que j'occupe, j'ai promis qu'il n'y aurait plus d'accidents occasionnés par des sèche-cheveux « meurtriers » ou par ces cercueils roulants à 5 millions qu'on appelle automobiles ! Les règlements auxquels vous faites allusion m'ont permis de remplir mes engagements. Permettez-moi de vous rappeler que, pour l'exercice précédent, votre compagnie a réalisé un bénéfice de 250 millions sur les polices de responsabilité sans faute. Et vous venez me parler de la « gêne » occasionnée aux assureurs et de « conséquences imprévues » ? Vous me prenez pour un imbécile ! Je ne veux plus entendre un seul mot là-dessus. Au revoir, Maître !

Et maintenant ? Que va-t-il se passer ? L'avocate va-t-elle insister, au risque de s'aliéner définitivement le commissaire, sans rien obtenir pour autant ? Sa compagnie gère de nombreux contrats dans la région. Il lui est donc indispensable d'entretenir de bonnes relations avec le commissaire. Faut-il qu'elle renonce purement et simplement à poursuivre ? Même si elle est honnêtement convaincue que le règlement en question est effectivement inéquitable, que ses effets à longue échéance sont contraires à l'intérêt public et que les meilleurs experts eux-mêmes ne pouvaient à l'origine prévoir ces résultats ?

Que convient-il de faire quand on affronte des situations analogues ?

Les négociateurs sont avant tout des hommes.

Une donnée fondamentale que l'on a tendance à oublier au cours de négociations, en particulier au sein de grosses entreprises ou de conférences internationales, c'est que les autres, ceux de la partie adverse, ne sont pas des représentants abstraits mais des êtres humains. Chacun vient à la table de délibération avec tout un bagage affectif, ses certitudes, ses convictions, son passé, ses opinions et ses réactions imprévisibles. Un négociateur est un homme comme les autres.

Ce côté humain peut faciliter la négociation ou la mener à l'échec. En recherchant un accord, on peut créer un climat psychologique propre à conduire vers une solution satisfaisante pour toutes les parties en présence. Une relation de travail où règnent confiance, compréhension, amitié et respect mutuel ne peut que rendre chaque nouvelle négociation plus agréable et plus constructive. Ce désir, que chacun éprouve, de se sentir en accord avec lui-même, et le souci de savoir ce que les autres pensent de nous, nous font souvent porter plus d'attention aux intérêts d'autrui. Mais, d'un autre côté, chacun a sa propre sensibilité : il y a les coléreux, les dépressifs, les timorés, ceux qui sont agressifs ou défaitistes, ou encore ceux qui sont blessés facilement. Il y a notre fameux amour-propre si vite menacé. Et puis chacun voit le monde par le bout de sa lorgnette et prend souvent sa perception de la réalité pour la réalité elle-même. La plupart du temps, on ne sait pas interpréter ce que l'on nous dit dans le sens où on nous le dit, pas plus que l'on ne se préoccupe de savoir si notre interlocuteur comprend notre propos. C'est l'incompréhension qui vient renforcer les préjugés ; la moindre démarche entraîne une réaction de l'adversaire qui nous fait réagir à notre tour. Quand on est pris dans un tel cercle vicieux, il devient impossible de raisonner pour trouver des solutions acceptables. C'est l'échec de la négociation : on ne pense plus qu'à marquer des points, chaque argument avancé sert à consolider des impressions négatives et on se lance des reproches d'un bout à l'autre de la table. Bref, on laisse complètement de côté les intérêts véritables de chacun. Si l'on oublie que l'adversaire est un homme qui va réagir avec sa sensibilité, on mène la négociation à la catastrophe. Voilà pourquoi, du début à la fin des discussions, on doit avoir dans la tête cette question : « Suis-je assez attentif aux questions de personnes ? »

L'intérêt du négociateur est double : le différend ET la relation avec l'adversaire.

On négocie, d'une part, pour servir ses propres intérêts ; mais, d'autre part, on est toujours plus ou moins intéressé à la poursuite de sa relation avec l'adversaire. Il faut certes que le brocanteur fasse un bénéfice en vendant un objet, mais il faut également qu'il s'attache la clientèle de son acheteur. Il est indispensable de faire durer une relation de travail le temps nécessaire pour trouver une solution acceptable, si faire se peut. C'est le moins que puisse faire un négociateur mais, en général, il ne peut se contenter de cela. Dans la plupart des cas, il a déjà eu affaire à son adversaire. Il n'y a pratiquement jamais de négociation isolée, chacune est le maillon d'une chaîne et, à l'évidence, il est important de conduire la négociation en cours de manière à faciliter plutôt qu'à gêner celle qui va suivre. Que l'on traite avec des habitués, des associés, des parents ou des collègues, que les négociations aient lieu entre des membres du gouvernement ou des diplomates étrangers, mieux vaut se préoccuper de l'avenir des relations que du résultat d'une négociation particulière.

La question des relations avec l'adversaire se trouve mêlée avec l'objet du différend. Ce qu'il est convenu d'appeler les problèmes humains ont une conséquence très grave dans une négociation : les questions de relations se mêlent aux questions de fond. D'un bout à l'autre de la table, il est probable que l'on va traiter les questions de personnes comme si elles ne faisaient qu'un avec l'objet du différend. D'ailleurs, en famille, des phrases comme : « Tiens ! La cuisine est en désordre ! » ou bien : « Il n'y a plus un sou à la banque ! », simples constatations d'un état de fait, ont toutes les chances d'être prises pour des attaques personnelles. Si, dans notre esprit, on associe une personne à une situation qui nous fâche, on risque fort de se fâcher avec cette personne. N'oublions pas qu'il y a souvent de l'amour-propre dans les positions que l'on prend.

Questions psychologiques et matérielles se mêlent également quand des déclarations, portant seulement sur le sujet, sont comprises de travers par un adversaire qui se hâte d'en tirer des conclusions sur nos intentions et nos attitudes à son égard. A moins d'y faire très attention, ce mécanisme de pensée est quasi automatique. On est rarement en mesure de se rendre compte qu'il existe d'autres explications tout aussi valides. Ainsi Jones, dans l'exemple du syndicat, croyait que le contremaître Campbell « ne pouvait pas le voir » comme il dit, tandis que ce dernier pensait lui faire une faveur en lui confiant des responsabilités.

Questions de personnes et de fond rivalisent dans la négociation de positions. La guerre de positions propre à la négociation classique contribue à aggraver la confusion entre les questions de personnes et de fond. Le raisonnement est simple : si Pierre choisit telle position, c'est qu'il désire tel résultat ; Paul y voit le peu d'estime que Pierre accorde à sa relation. Si, de son côté, Paul se cantonne dans une position qui paraît irrecevable à Pierre, celui-ci va en conclure que Paul n'est pas très préoccupé de sa relation avec lui puisqu'il sait bien qu'il a adopté une position extrême — et ainsi de suite.

Un négociateur classique règle un différend en faisant jouer les questions de personnes contre celles de fond. Si la compagnie d'assurances décide qu'elle préfère entretenir de bonnes relations avec le commissaire, son avocat devra certainement renoncer à régler la question de la clause. En revanche, s'il juge qu'il est plus important d'y apporter une solution convenable que d'être bien vu de son adversaire, il va tenter de faire jouer ce qui concerne sa relation avec le commissaire en faveur de la question à résoudre. Il pourra dire : « Si vous ne voulez pas poursuivre l'examen de ce problème avec moi, à votre guise ! C'est notre dernière rencontre ! » De toute façon, ce n'est pas en transigeant sur un point essentiel que l'on gagne l'estime de son adversaire ; par cette attitude, au contraire, on risque de le convaincre qu'il peut nous envoyer promener.

Traiter séparément les questions de relation et celles de fond : il faut aborder sans détour les problèmes humains.

Être au cœur de la discussion tout en continuant d'avoir de bonnes relations avec son adversaire n'est pas forcément contradictoire pourvu que l'on se soit engagé, et psychologiquement préparé, à dissocier ces questions pour les résoudre en toute objectivité. Un esprit clair, une faculté de communication facile, une sensibilité justement mesurée, un regard tourné vers l'avenir et une attitude résolue constituent la base de toute relation humaine. Il faut franchement aborder les questions de personnes et ne pas essayer de les résoudre par des concessions sur l'essentiel.

Il faut utiliser les mêmes méthodes que les psychologues puisqu'il s'agit de régler des problèmes qui touchent à la psychologie. Pour que l'on s'y reconnaisse un peu dans le labyrinthe des problèmes humains, ils les ont classés en trois catégories fondamentales qui les recouvrent tous : perception, sensibilité, communication. Si notre façon de voir les choses manque de précision, il faut chercher à éduquer nos perceptions. Si on sent la tension monter autour de la table de délibération, on doit trouver le moyen de donner à chaque participant l'occasion de se détendre, et si l'incompréhension règne entre les interlocuteurs, il est nécessaire d'améliorer la communication.

Un négociateur doit, certes, tenir compte des réactions psychologiques des autres, mais il doit savoir également contrôler les siennes. Sa colère, sa nervosité peuvent l'empêcher de conclure un accord qui serait avantageux, et il n'y a pas que l'adversaire qui ait des œillères, ne sache pas écouter ou se faire comprendre !

Les techniques exposées dans les paragraphes suivants conviennent pour résoudre les principaux problèmes psychologiques, tant les nôtres que ceux de l'adversaire.

La perception.

Comprendre les pensées de ceux d'en face, c'est utile pour résoudre un conflit mais ce n'est pas assez. Ces pensées, à elles seules, constituent le conflit. Que l'on traite une affaire ou que l'on mette fin à une dispute, c'est la différence entre ce que nous pensons et ce que pense l'autre qui est en cause. Quand deux personnes se disputent, c'est habituellement pour la possession de quelque chose — supposons qu'elles convoitent l'une et l'autre une montre — ou bien c'est au sujet d'un événement — par exemple un accident de voitures qu'elles s'accusent mutuellement d'avoir provoqué. Il en va de même quand il s'agit de querelles entre nations : le Maroc et l'Algérie sont en conflit pour la possession du Sahara occidental ; l'Inde et le Pakistan ont un différend au sujet de l'armement nucléaire de leur pays respectif. Nous avons remarqué que les gens, s'ils doivent trouver une solution à des conflits semblables, se lancent, avant tout, dans une étude approfondie de l'objet qu'ils convoitent ou de l'événement qui les oppose. Ils examinent la montre, ils mesurent les marques du dérapage sur la chaussée ; ils étudient avec soin le Sahara occidental ou l'histoire détaillée de la constitution d'un arsenal atomique par l'Inde et le Pakistan.

En fin de compte, cependant, le conflit ne repose pas sur une réalité objective : il est dans la tête des gens. La vérité n'est qu'un argument parmi d'autres — peut-être bon, peut-être pas — pour venir à bout du différend. Mais le différend lui-même n'existe que parce que les pensées sont différentes. Il faut tenir compte des craintes, même dénuées de fondement. Des espoirs, même illusoires, peuvent provoquer une guerre alors que des faits qui crèvent les yeux ne seront d'aucun secours dans la solution d'un conflit. Les deux personnes qui se querellent pour la montre peuvent admettre que l'une l'a perdue et que l'autre l'a trouvée, mais continuent à se disputer pour savoir qui va la garder. Les enquêtes peuvent établir que c'est l'éclatement d'un pneu usé qui a provoqué l'accident, mais les conducteurs ne veulent payer les dégâts ni l'un ni l'autre. On a réuni des masses de rapports et de documents sur l'histoire et la géographie du Sahara occidental, mais ce n'est pas cela qui oppose le Maroc à l'Algérie, et ce ne sont pas non plus les nombreux rapports sur l'armement nucléaire de l'Inde et du Pakistan qui pourront mettre fin à leur querelle.

Aussi utile que puisse être l'examen de la réalité objective, c'est en définitive la réalité telle que chacun la voit qui constitue la matière de la négociation et ouvre la voie à la solution.

Se mettre dans la peau de l'adversaire. La vision que l'on a du monde dépend du côté où l'on se place. Les gens ont tendance à ne voir que ce qu'ils veulent voir. Si on leur présente une somme importante d'informations ils vont choisir celles qui confirment leurs premières impressions et laisseront de côté, ou interpréteront de travers, celles qui les obligeraient à les remettre en question. Les participants d'une négociation ne reconnaissent fréquemment que le bien-fondé de leurs arguments et les failles de ceux de la partie adverse.

Le pouvoir de se mettre dans la peau de son adversaire n'est pas donné à tout le monde ; c'est pourtant un des talents les plus essentiels qu'un négociateur devrait posséder. Car ce n'est pas assez de reconnaître que son adversaire voit les choses d'une manière différente. Si l'on veut avoir une quelconque influence sur lui, on doit également arriver à savoir, comme si l'on était à l'intérieur de sa tête, où ses idées le mènent et le degré réel de sa conviction. Si on l'étudie comme on observe un insecte au microscope, on est loin du compte ; pour connaître vraiment ce qu'il ressent il faut devenir insecte soi-même. Cela signifie qu'il faut prendre l'habitude de suspendre tout jugement le temps nécessaire pour s'imprégner de ses idées : il est très capable d'y croire aussi fermement que nous croyons aux nôtres. Tel verra sur une table un verre à moitié rempli d'eau fraîche tandis qu'un autre n'y verra qu'un verre sale à moitié vide qui menace de tacher son plaqué-acajou !

Pour illustrer notre propos, nous présentons en regard l'une de l'autre, deux façons différentes de voir la même question. Il s'agit du renouvellement d'un bail de location.

LA QUESTION VUE PAR

LE LOCATAIRE	LA PROPRIÉTAIRE
Je paie déjà bien assez cher.	Je n'ai pas augmenté le loyer depuis longtemps.
La vie ne cesse d'augmenter et je n'ai pas les moyens de payer plus cher pour me loger.	La vie ne cesse d'augmenter, il faut bien que j'augmente mes revenus.
L'appartement aurait bien besoin d'un coup de peinture.	Dans quel état il a mis mon pauvre appartement !
Je connais des gens qui paient moins cher un logement équivalent !	Je connais des gens qui paient plus cher pour un logement équivalent !
Nous, les jeunes, nous n'avons pas les moyens d'acquitter de gros loyers.	Les jeunes sont bruyants et peu soigneux.
Le quartier se déprécie de plus en plus, elle ne peut pas augmenter son loyer.	Nous devons augmenter les loyers pour éviter que le quartier ne se déprécie de plus en plus.
Je suis le locataire idéal : je n'ai pas d'animaux.	Il me rendra folle avec sa chaîne stéréo !

J'ai toujours payé au premier rappel.	C'est un mauvais payeur, il faut toujours que je le relance.
Et puis c'est une mégère, je peux bien crever, elle s'en fiche.	Et je suis la propriétaire idéale, je ne me mêle jamais de la vie privée de mes locataires.

Comprendre le point de vue de son adversaire ne signifie pas lui donner raison. Et quand bien même on serait amené à réviser sa propre opinion grâce à l'examen de la sienne, on n'y perdrait rien, bien au contraire. Envisager la question sous un éclairage nouveau nous mettra peut-être à même de préciser nos propres exigences en cernant le problème de plus près.

Les craintes que l'on entretient ne sont pas forcément les intentions de l'adversaire. On a tendance à croire que l'adversaire a l'intention de faire précisément ce que l'on redoute. Nous empruntons au *New York Times* du 25 décembre 1980 l'anecdote suivante :

« Ils se sont rencontrés dans un bar. L'homme a proposé à la femme de la raccompagner. Il l'a entraînée dans des ruelles obscures qu'elle ne connaissait pas. “ Ne vous inquiétez pas, disait-il, c'est un raccourci. ” Ils ont mis si peu de temps… qu'elle a pu regarder les informations de 22 heures à la télé. » La chute est inattendue, mais pourquoi ? Parce que nous prenions nos craintes pour des réalités !

Il est trop facile de choisir toujours la pire explication à ce que fait et dit l'adversaire. Bien souvent, elle découle tout naturellement de la manière dont nous percevons la situation. On a l'impression de limiter les risques et aussi de montrer l'adversaire sous son vrai jour aux témoins éventuels. Donner systématiquement l'interprétation la plus défavorable des faits et gestes de son vis-à-vis ferme l'esprit aux idées nouvelles qui pourraient éventuellement déboucher sur un accord et empêche d'être sensible aux subtils changements de position dont on ne s'aperçoit même pas ou que l'on rejette.

Les difficultés ne sont pas nécessairement le fait de l'adversaire. L'adversaire n'est pas responsable de nos ennuis, même s'il est tentant de lui en faire le reproche. « On ne peut pas compter sur vous. Chaque fois que vous venez à l'usine pour réparer le générateur de la rotative, vous vous y prenez tellement mal qu'il retombe en panne aussitôt ! » On se laisse facilement aller à faire des reproches, d'autant plus facilement quand l'interlocuteur est en réalité responsable. Mais, même si le reproche est justifié, cela ne mène pratiquement jamais à rien. S'il se sent attaqué, l'adversaire va se mettre sur la défensive et repousser nos arguments ; il n'écoutera plus ou bien il va répondre en attaquant à son tour. Lancer des reproches ne fait qu'embrouiller la situation en amalgamant les hommes et les faits. Quand on fait le point sur une situation donnée, il faut marquer la distinction entre les faits et la personne à laquelle on s'adresse. « Le générateur de notre rotative, que vous êtes venu réparer, vient encore de tomber en panne. C'est la troisième fois ce mois-ci. La première fois, il était resté hors circuit une semaine entière. Vous savez que sans lui nous ne pouvons rien faire. Je voudrais voir avec vous comment réduire ce risque de panne. Devons-nous faire appel à un autre atelier de réparations, nous retourner contre le fabricant, ou avez-vous une solution à nous proposer ? »

Échanger ses impressions avec son adversaire. Quand on a des points de vue différents, il est bon de les exprimer ouvertement et d'en discuter ensemble. Si on le fait franchement et en toute bonne foi, en évitant de se faire des reproches sur les analyses divergentes de la question, on pourra créer un climat de compréhension qui permettra à chacun de prêter attention aux propos de l'autre.

Les gens négligent fréquemment de s'intéresser aux préoccupations de leur adversaire quand elles ne leur paraissent pas entrer dans le cadre de la question à résoudre. Ils ont bien tort : affirmer avec force et conviction des choses qui ne coûtent rien à dire et font plaisir à l'adversaire constitue parfois l'un des meilleurs placements que puisse faire un négociateur.

Prenons, par exemple, la question des transferts techniques qui s'est posée lors de la Conférence sur le droit de la mer. Depuis 1974, quelque cent cinquante nations se sont réunies, à New York et à Genève, pour rédiger une convention sur l'utilisation des océans, depuis les droits de pêche jusqu'à l'extraction des nodules non ferreux dans les grands fonds. Les représentants des pays en voie de développement ont manifesté un vif intérêt pour un éventuel transfert de techniques : ils souhaitent apprendre des pays industriels les techniques de pointe et obtenir l'équipement nécessaire à l'exploitation des fonds sous-marins.

Ne voyant pas d'inconvénient à les satisfaire sur ce point, les États-Unis et les autres pays industriels n'attachèrent aucune importance à cette question. En un sens, ils avaient raison, cette question était pour eux sans importance, mais ils ont commis une lourde erreur en ne manifestant aucun intérêt. S'ils avaient su consacrer un temps notable à la mise au point des conditions pratiques du transfert, les pays en voie de développement auraient davantage apprécié cette offre, et ils y auraient cru. En traitant, au contraire, la question comme un problème d'intérêt mineur que l'on pourrait régler plus tard, ils ont perdu une bonne occasion, qui ne leur aurait pas coûté cher, d'offrir une réalisation de grande envergure aux pays en voie de développement tout en leur ménageant un réel stimulant pour discuter sur d'autres questions.

Saisir les occasions de dérouter l'adversaire. Quand on veut que l'adversaire modifie l'opinion qu'il a sur une question, peut-être le mieux est-il de prendre le contre-pied de ce qu'il attend. Nous voyons dans la visite du président égyptien Sadate à Jérusalem, en novembre 1977, un exemple remarquable de cette conduite. Depuis la guerre de Yom-Kippour, les Israéliens considéraient l'Égypte et Sadate comme « l'ennemi », le pays et l'homme qui les avaient attaqués par surprise quatre ans auparavant. Sadate, pour les faire changer d'avis, pour les convaincre que lui aussi désirait la paix, se rendit dans la capitale israélienne, une capitale controversée que les meilleurs amis d'Israël, les États-Unis, n'avaient pas encore reconnue. Au lieu de se comporter en ennemi, Sadate s'est comporté en partenaire. Sans ce voyage spectaculaire, on peut difficilement imaginer la signature d'un traité de paix entre l'Égypte et Israël.

Intéresser l'adversaire au résultat en le faisant participer au déroulement de la négociation. Si l'adversaire ne se sent pas concerné par les débats, il aura probablement du mal à en admettre le résultat. Si c'est seulement après avoir fait une longue enquête et fin prêt pour la bagarre que l'avocat de la compagnie d'assurances se présente chez le commissaire, il ne doit pas s'étonner que celui-ci se sente menacé et refuse ses conclusions. De même, quand on ne prend pas la peine de demander à un ouvrier si l'attribution d'un poste de responsabilité lui conviendrait, il ne faut pas être surpris devant sa réaction.

Pour faire accepter à son adversaire une conclusion déplaisante, on doit absolument le faire participer aux diverses opérations qui amènent à cette conclusion. Voilà pourtant une chose que les négociateurs hésitent à faire. Quand ils ont un problème délicat à résoudre, leur premier mouvement est toujours de laisser pour la fin le point le plus difficile : « Vous pouvez être sûr que nous avons examiné la question de A à Z avant de recontrer le commissaire. » Justement, le commissaire serait plus à même d'accepter une révision des règlements s'il avait l'impression d'avoir participé au travail préliminaire. Ce ne serait alors pour lui qu'un petit épisode supplémentaire, rattaché au long travail qu'il a dû fournir pour mettre au point son premier règlement. Sinon, il lui semblera que cette révision est une tentative de sabotage menée par un quelconque inconnu.

En Afrique du Sud, les Blancs modérés ont, à une certaine époque, tenté d'abolir le système discriminatoire des laissez-passer. Mais de quelle manière s'y sont-ils pris ? Ils ont formé des commissions parlementaires — exclusivement composées de Blancs —, puis ils ont organisé des réunions de travail pour étudier et mettre au point des propositions. Malgré toute leur bonne volonté et quelle que soit la qualité de ces propositions, ils ne pouvaient parvenir à un résultat satisfaisant parce qu'aucun Noir n'avait participé à leurs séances de travail. Les Noirs auraient compris : « Nous, les Blancs, qui vous sommes supérieurs, finirons par trouver une solution à vos problèmes. » Cela revenait à affirmer la suprématie des Blancs et donc à poser derechef le problème qu'on voulait résoudre.

Un négociateur rendu soupçonneux parce qu'il a été exclu des discussions peut rejeter les termes d'un accord même avantageux. En revanche, quand les deux adversaires ont l'impression d'être partie prenante aux idées exprimées, il leur est plus facile de parvenir à un accord. Et, si l'un et l'autre donnent leur approbation au fur et à mesure de la discussion, c'est tout l'ensemble qui s'en trouve consolidé. Chaque fois qu'un terme est modifié, qu'une concession est obtenue grâce à l'intervention d'un participant, c'est sa marque personnelle qu'il laisse sur le document. En définitive, il conviendrait que ce dernier contienne assez de suggestions des deux parties pour que chacune soit convaincue qu'elle est l'auteur de la totalité.

Puisqu'il faut intégrer l'adversaire, il est bon de le faire dès le début de la négociation : on lui demandera son avis, on lui attribuera généreusement la paternité d'idées chaque fois que cela sera possible, ce qui lui donnera un intérêt personnel à les défendre devant des tiers. Il aura peut-être du mal à résister à la tentation de s'en vanter à vos dépens, mais on est largement récompensé de sa grandeur d'âme dans ces cas-là ! Mis à part le sujet même de la négociation, la participation est à elle seule l'élément le plus important pour amener un négociateur à accepter ou à rejeter une proposition. On pourrait dire que le *moyen* est une *fin*. Ici, le résultat obtenu se confond avec le mécanisme utilisé pour l'obtenir.

Sauver la face : faire des propositions conformes aux principes de l'adversaire. En français, l'expression « sauver la face » a une connotation péjorative. On dit : « C'est juste pour lui permettre de sauver la face ! » comme si l'on avait fabriqué un petit prétexte pour donner la possibilité à l'autre de se retirer sans éprouver trop de gêne.

Cette interprétation méconnaît le rôle que joue dans la vie de chacun de nous ce besoin de sauver la face. Qu'il s'agisse de prendre position dans une négociation, ou de signer un accord, nous devons sauver la face, c'est-à-dire que l'on se doit d'agir en conformité avec ses principes, ses démarches et ses déclarations antérieures. Même en droit, la procédure tient compte de ce besoin. Quand un magistrat rédige les attendus d'un verdict, on peut dire qu'il sauve la face non seulement pour lui-même et pour le système judiciaire tout entier, mais aussi pour les parties en présence. Au lieu de se contenter de dire aux uns : « Vous avez gagné ! » et aux autres : « Vous avez perdu ! », il prend la peine d'expliquer en quoi sa décision a été prise conformément au principe, au droit et à la jurisprudence. Il ne veut pas donner l'impression d'être arbitraire mais, au contraire, d'agir d'une façon correcte. Il en va de même d'un négociateur.

Il n'est pas rare de voir des gens persister dans leur refus, non pas tant que la proposition qui leur est faite soit en elle-même inacceptable, mais simplement parce qu'ils veulent éviter à leurs propres yeux, ou à ceux des autres, d'avoir l'air de céder devant la partie adverse. Si l'on trouve le moyen de modifier la forme sans altérer le contenu, la même proposition leur deviendra alors acceptable. C'est ce qui s'est passé dans l'une des principales villes des États-Unis. Les négociations engagées entre la municipalité et les représentants de la communauté hispanique de cette ville, à propos d'emplois municipaux, étaient dans l'impasse parce que le maire se refusait obstinément à accepter les termes proposés par les négociateurs. La situation se débloqua comme par enchantement quand on proposa au maire de reprendre à son compte les termes de l'accord en les présentant comme une initiative personnelle concrétisant l'une de ses promesses électorales.

Sauver la face, c'est tout simplement concilier le respect des principes objectifs qui doivent fonder un accord avec l'idée que les négociateurs se font d'eux-mêmes. C'est donc un aspect important de l'art de la négociation qu'il convient de ne pas sous-estimer.

L'affectivité.

Au cours d'une négociation, et en particulier quand le différend est profond, ce qui est ressenti est parfois plus important que ce qui se dit. Le risque est grand de voir les parties en présence envisager la négociation comme une bataille et non comme une collaboration constructive destinée à mettre sur pied la solution d'un problème qui leur est commun. Plus les participants ont l'impression que l'enjeu est d'importance, plus ils se sentent menacés. Les émotions des uns entraîneront celles de leurs vis-à-vis. De la peur peut très bien sortir la colère et vice versa. L'affectivité des participants mène alors très vite la négociation à l'impasse, quand ce n'est pas à la rupture.

Avant tout savoir reconnaître et comprendre ses propres sentiments et ceux des autres. Que le négociateur s'observe pendant la négociation. S'il est nerveux, s'il a l'estomac contracté, s'il sent monter sa colère, qu'il écoute attentivement son vis-à-vis en se demandant ce qu'il ressent de son côté. Il est parfois même utile de noter ce que l'on ressent — crainte, anxiété, colère —, puis ce que l'on voudrait ressentir — confiance, détente. On fera de même pour la partie adverse.

Quand les gens qu'on a en face de soi sont les représentants d'une organisation, on a tendance à les considérer comme de simples porte-parole dépourvus d'émotions personnelles. C'est une erreur, et il est au contraire important de se rappeler qu'ils possèdent comme tout un chacun des sentiments personnels, des espoirs et des rêves. Ils risquent peut-être leurs carrières. Certaines questions les touchent peut-être dans leur sensibilité ou dans leur orgueil. Cette considération dépasse d'ailleurs les seuls négociateurs. Ceux qu'ils représentent ont eux aussi des émotions ; et il n'est pas rare que leur point de vue soit plus simpliste et plus tranché que celui de leurs représentants.

On se demandera ce qui est à l'origine des émotions. Pourquoi est-on en colère ? Pourquoi les adversaires le sont-ils ? Réagissent-ils à quelque grief passé dont ils désirent se venger ? Les émotions suscitées par une question donnée contaminent-elles l'examen des autres questions ? Se heurtent-ils chez eux à des complications qui interfèrent avec la négociation en cours ? Au Moyen-Orient, par exemple, c'est dans leur existence même qu'Israéliens et Palestiniens se sentent menacés. De ce fait, il s'est créé chez les uns et les autres un climat hautement affectif qui envahit tout, jusqu'aux questions les plus concrètes, d'ordre pratique, comme la distribution des eaux sur la rive occidentale du Jourdain. Toute discussion est devenue pratiquement impossible. Chacun des deux peuples estimant que sa vie même est en question, tous les problèmes, jusqu'aux plus petits, sont envisagés en termes de survie.

Les émotions ont explicitement droit de cité dans la négociation. On doit aborder sans hésitation les questions affectives. Rien n'empêche par exemple de déclarer : « Vous savez, chez nous, le sentiment d'avoir été floué est très répandu. Les gens sont très inquiets. Même si nous parvenons à un accord, nous craignons qu'il ne soit pas respecté. Rationnel ou pas, c'est notre souci. Personnellement, je suis enclin à penser que nous avons tort, mais je sais que bien des gens ne pensent pas comme moi. Est-ce qu'il existe chez vous une disposition d'esprit comparable ? » En exprimant ainsi ses propres sentiments ou ceux de la partie adverse, on en fait un sujet de discussion, ce qui n'a pas pour seul mérite de souligner la gravité du litige mais permet en général d'entamer les négociations dans un climat plus « actif » que « réactif ». Nous entendons par là que, libérés du poids des émotions inexprimées, les gens auront plus de facilité à s'atteler à une tâche concrète.

Fournir à l'adversaire la possibilité de « se défouler ». Quand on désire que les gens se calment, se détendent, bref se débarrassent de tout sentiment négatif, le plus efficace est encore de les aider à s'en libérer. Souvent, il suffit de raconter ses ennuis pour en être soulagé. Une femme qui rentre chez elle après une dure journée au bureau et entreprend de raconter ses déboires à son mari pour s'entendre interrompre d'un « Ne te fatigue pas, ma pauvre chérie, je vois très bien ce que ça a pu être, laisse tomber ! » a toutes les chances de se sentir encore plus mal. Il en va de même pour un négociateur. Mieux vaut lui permettre de « se défouler », comme on dit familièrement. Il sera plus facile, après, de parler raisonnablement. Du reste, en prononçant une diatribe enflammée, le négociateur montre du même coup à ses mandants qu'il ne fait pas de cadeaux. Cela lui vaudra peut-être d'avoir les coudées plus franches dans la négociation. Sa réputation de négociateur coriace, désormais bien assise, le protégera des critiques ultérieures au cas où il signerait un accord. Loin d'interrompre les discours violents, voire de se fâcher contre l'orateur, il convient donc de garder son calme, en attendant que l'adversaire ait fini de décharger ce qu'il a sur le cœur. Les accès de ce genre présentent l'avantage de libérer non seulement le négociateur lui-même mais encore ceux dont il dépend, s'ils sont à l'écoute. Quand un adversaire « se défoule », on adoptera donc l'attitude de l'auditeur placide qui ne répond pas aux attaques et encourage même son interlocuteur à aller jusqu'au bout. De cette manière, on évite d'entretenir le feu de sa colère et on l'incite à ne pas mâcher ses mots, à ne rien garder sur le cœur.

Éviter de répondre aux explosions de colère. Cette attitude comporte toutefois un risque : on peut être tenté de répondre. Si l'on ne se maîtrise pas parfaitement, la riposte peut entraîner une dispute violente.

Dans les années cinquante, une commission de gestion des problèmes de main-d'œuvre dans l'industrie sidérurgique, le Comité des relations humaines, avait mis au point une technique inattendue mais efficace pour résister au choc des passions. Elle met fin aux conflits qui commencent avant qu'ils ne deviennent de sérieux problèmes. Le principe adopté par les membres de ce comité est le suivant : « ne criez pas tous à la fois, il n'y a qu'une personne qui a le droit de se mettre en colère ». D'une part, le principe justifie l'attitude de ceux qui ne répondent pas violemment à un éclat de colère en même temps qu'il permet à celui qui « se défoule » de se laisser aller à sa violence sans complexe : « il a le droit, c'est son tour » ; d'autre part, forts de ce principe, les gens sont plus à même de contrôler leurs émotions : violer la règle implique que l'on a perdu son sang-froid, donc, en quelque sorte, que l'on a perdu la face.

Faire des gestes symboliques. Les amoureux savent bien qu'il suffit parfois d'une rose pour mettre fin à une querelle. Il faut souvent très peu de chose pour toucher l'adversaire : une marque de sympathie, un mot de regret, une visite au cimetière, une babiole à un petit-fils, un serrement de mains ou un baiser, un repas pris ensemble, voilà bien des occasions inestimables pour détendre une atmosphère à peu de frais. Bien souvent, une simple excuse arrive à atténuer l'agressivité ; il faut la présenter, même si l'on ne se reconnaît nullement coupable de ce qui a été fait, ou si l'on sait pertinemment que l'on n'avait aucune mauvaise intention. Un mot d'excuse est un des investissements les moins dispendieux que puisse consentir un négociateur, et peut-être le mieux payé de retour.

La communication.

Sans communication, point de négociation. La négociation en effet est un moyen de communiquer l'un avec l'autre dans le but de prendre une décision commune. La communication n'est jamais facile, même entre des gens qui partagent tout un passé d'expériences et d'idées communes. De vieux couples, unis depuis plus de trente ans, éprouvent encore chaque jour des difficultés à se comprendre ! On ne doit, par conséquent, pas être surpris si des gens qui ne se connaissent pratiquement pas et qui, de plus, ont peut-être des raisons de s'en vouloir ou de se méfier, n'arrivent pas à communiquer. Quoi que l'on dise, il faut presque toujours s'attendre que la partie adverse entende autre chose.

La communication se heurte à trois difficultés principales. Dans le premier cas, les négociateurs ne s'adressent pas réellement les uns aux autres ou alors pas de manière à se faire comprendre. Il est fréquent que chacun des camps en présence ait depuis longtemps désespéré de l'autre et cessé de tenter de communiquer avec lui. Ils ne parlent plus alors qu'au bénéfice de tiers éventuels ou à l'intention de leurs propres mandants. La négociation n'est plus un ballet harmonieux destiné à aboutir à un accord acceptable par tous mais une série d'échanges de crocs-en-jambe. Plutôt que de tenter d'amener l'adversaire à adopter une démarche plus constructive, on essaie d'inciter les spectateurs à prendre parti. Quand tout le monde parle pour la galerie, une communication efficace entre les parties en présence devient quasi impossible.

Mais parfois, alors même que l'on s'adresse clairement et directement à l'adversaire, on n'est pas assuré d'être entendu. C'est là la deuxième difficulté de communication. Que l'on songe au nombre de fois où l'on a eu l'occasion de constater que des interlocuteurs ne faisaient pas assez attention à ce qu'on avait à leur dire. Combien de fois aussi serait-on incapable de répéter les paroles d'un interlocuteur ! Au cours d'une négociation, on risque de se concentrer sur sa prochaine réplique, ou sur la nécessité de réagir à telle ou telle suggestion, ou sur la manière de présenter un argument, au point d'oublier ce que la partie adverse est en train de dire. On risque aussi de prêter beaucoup plus d'attention à ses propres mandants qu'à la partie adverse : après tout, c'est aux premiers que l'on devra rendre des comptes à la fin de la négociation. C'est eux que l'on essaie de satisfaire. Il n'est guère étonnant qu'on leur accorde beaucoup d'attention. Mais si l'on n'écoute pas la partie adverse, il n'y a évidemment pas de communication.

Le malentendu constitue la troisième difficulté de communication — ce que dit l'un est mal interprété par l'autre.

Alors même que les négociateurs sont réunis dans une pièce, la communication entre eux relève du sémaphore à bras par temps de brouillard. Et s'ils ont le malheur de s'exprimer dans des langues différentes, tout est encore pire. Par exemple, en Iran, le mot « compromis » ne semble pas avoir le sens qu'il a en français de « solution moyenne que les deux camps peuvent accepter », mais seulement le sens négatif qu'il prend dans les expressions telles que « sa vertu a été compromise » ou « réputation compromise » ; de même un « médiateur », en langue perse, est un homme qui se mêle de ce qui ne le regarde pas. Au début de 1980, le secrétaire général des Nations unies, Kurt Waldheim, se rendit en Iran pour tenter de régler la question des otages de l'ambassade. Malheureusement pour lui, la radio et la télévision nationales iraniennes reprirent en langue perse la déclaration qu'il avait faite à sa descente d'avion : « Je viens en *médiateur* pour tenter de chercher un *compromis.* » Une heure après les émissions, la voiture du secrétaire général était lapidée par une foule d'Iraniens en colère, et les efforts du médiateur se trouvèrent sérieusement... compromis.

Nous proposons les solutions suivantes à ces trois difficultés de communication.

Écouter attentivement et manifester clairement que l'on comprend. Qu'il soit nécessaire d'écouter, point n'est besoin d'insister là-dessus, mais on a du mal à écouter correctement, surtout dans l'atmosphère tendue qui règne au cours d'une négociation. Si l'on écoute, on est en mesure de comprendre le point de vue de l'adversaire, de sentir ce qu'il éprouve et de saisir le sens de ce qu'il tente de dire. Si l'on est un auditeur actif, non seulement on comprend mieux, mais encore l'adversaire s'exprime mieux. Si l'on manifeste son attention, en interrompant éventuellement pour dire : « Est-ce que j'ai bien compris ce que vous venez d'exposer ? », l'adversaire se rendra compte qu'il n'est pas là seulement pour tuer le temps ou pour accomplir une formalité. Il sera content d'être écouté et compris. On a dit quelque part que la concession la moins coûteuse que puisse faire un négociateur est de faire savoir à son adversaire qu'il l'a entendu.

Selon les techniques habituelles de bonne écoute, il faut concentrer son attention sur ce que dit l'adversaire, lui demander de s'exprimer clairement à haute et intelligible voix et le prier de bien vouloir répéter s'il reste quelque point vague ou ambigu. Au lieu de chercher la réponse que l'on va faire, il faut écouter pour comprendre son point de vue, connaître ses préoccupations et ses obligations. Certains jugent bon de ne pas trop prêter attention à l'argumentation de leur adversaire et de ne jamais admettre que son point de vue puisse être fondé. C'est précisément le contraire de ce que doit faire un bon négociateur.

Tant que l'on ne manifeste pas clairement son intérêt et sa compréhension, l'adversaire peut croire que l'on n'a pas compris ; pendant que l'on tentera à son tour d'expliquer un point de vue différent, il supposera que ce qu'il a voulu dire nous a échappé. Il se dira : « Je lui ai expliqué ce que je pensais, et pourtant il est en train de dire tout autre chose, il ne doit pas avoir compris ! » ; au lieu d'écouter notre explication, il réfléchira à la manière de tourner ses arguments afin que cette fois nous soyons capables d'en saisir le sens. Il y a donc tout intérêt à lui manifester notre compréhension : « Voyons, si j'ai bien suivi, la situation serait à votre avis... » et il faut répéter comme si l'on était à sa place, en mettant en évidence la solidité de ses arguments. On peut dire : « Votre dossier est solide, mais voyons si je peux l'expliquer : ce qui me frappe... » Comprendre ne veut pas dire approuver. On peut à la fois comprendre parfaitement ce que dit quelqu'un et ne pas être du tout d'accord avec lui, mais tant qu'il ne sera pas convaincu que l'on a très bien saisi sa manière de penser, on n'arrivera pas à lui expliquer notre propre point de vue. Une fois que l'on a refait devant lui son argumentation, il faut revenir en arrière pour mettre en lumière les failles que l'on a trouvées dans sa proposition. Si l'on parvient à rendre son dossier plus clair que lui n'y est parvenu, on pourra ensuite le réfuter avec un maximum de chances d'entamer avec lui un dialogue constructif en toute objectivité, et un minimum de risques qu'il se croie incompris.

Parler de manière à être compris. Il faut parler à l'adversaire. On oublie facilement parfois qu'une négociation n'est ni un débat ni un procès. On n'est pas là pour convaincre une tierce personne, celui que l'on doit convaincre est assis en face de nous. Si l'on comparait la négociation à une procédure judiciaire, on pourrait dire que cela se passe comme si deux juges essayaient de s'entendre sur la manière de trancher une question. On peut tenter de jouer le rôle du magistrat recherchant avec son collègue une solution commune. Si l'on se place dans une situation semblable, on pourra difficilement se laisser aller à faire des reproches à son adversaire, ou à le traiter de tous les noms, voire à seulement élever la voix. Au contraire, si l'on se rend compte que les avis diffèrent, on essaiera d'éclaircir ensemble la difficulté.

Pour diminuer l'influence prépondérante et distrayante de la presse, de la famille ou d'autres témoins, il faut se réserver des moments d'entretiens privés et confidentiels avec ceux de la partie adverse. Il est bon également de limiter le nombre des participants. Au cours des négociations sur la ville de Trieste en 1944, on se souviendra que les pourparlers ne firent guère de progrès tant que les trois pays principalement intéressés — Grande-Bretagne, Yougoslavie et États-Unis — ne réduisirent pas l'effectif de leurs délégations respectives. Ils finirent par se rencontrer, en dehors de tout protocole, dans une maison privée, loin de tout regard étranger. On serait donc fondé à changer l'attrayante formule lancée par Woodrow Wilson : « Des accords publics négociés publiquement ! » en « Des accords publics, négociés en privé ». C'est quand il n'y a pas plus de deux personnes en présence que l'on prend les grandes décisions indépendamment du nombre de gens réellement intéressés à l'issue de la négociation.

Ne pas parler des autres mais de soi-même. On voit la plupart du temps les négociateurs se lancer dans des critiques interminables des motivations et des intentions de leur adversaire. Ils seraient cependant plus convaincants s'ils expliquaient ce qu'ils éprouvent au lieu de raconter le pourquoi et le comment des actes de leur vis-à-vis. « Je suis déçu ! » au lieu de « Vous avez manqué de parole ! ». « Nous sommes victimes d'une discrimination ! » plutôt que « Vous êtes raciste ! ». Si la remarque porte sur l'adversaire lui-même, et qu'il l'estime injuste, ou bien il l'ignorera, ou bien il se fâchera. En revanche, la remarque sera plus difficilement contestable si elle s'applique à notre propre manière de sentir les choses. On communique le même message en évitant de provoquer chez l'autre une réaction de défense qui l'empêcherait de le recevoir.

Parler dans un but précis. Les excès de la communication sont souvent plus redoutables que ses insuffisances. Il vaut mieux, quand règne un climat de colère ou de mésentente, ne pas en dire trop. On aura peut-être plus de mal à trouver un arrangement si l'on se découvre totalement. Si l'on révèle à son interlocuteur que l'on voudrait vendre une maison 80 000 dollars après qu'il a dit son intention d'aller jusqu'à 90 000, on aura peut-être plus de mal à conclure le marché que si l'on s'était contenté de se taire. Pour bien faire, il faut, avant de faire une déclaration importante, savoir ce que l'on peut communiquer ou dévoiler d'une part et à quoi cette information va servir d'autre part.

Mieux vaut prévenir.

Il est toujours préférable de traiter les questions de personnes avant qu'elles ne deviennent des problèmes.

Construire une relation de travail. Un négociateur doit construire et entretenir des relations personnelles avec son vis-à-vis pour qu'elles servent de tampon entre eux lors des phases violentes de la négociation. On sera plus enclin à prêter des intentions diaboliques à une abstraction inconnue appelée « la partie adverse » qu'à un individu que l'on connaît personnellement. Ce n'est pas la même chose d'avoir affaire à un camarade de classe, un collègue, un ami ou même l'ami d'un ami, que de traiter avec un inconnu. Il faut donc se dépêcher de faire sa connaissance : plus vite on y parviendra, plus il sera facile de négocier avec lui ; on aura moins de mal à comprendre ses réactions, on pourra s'appuyer sur un fonds de confiance pour aborder les points délicats, la communication se fera sans heurts, selon des procédures bien établies, et l'on aura toujours le recours de détendre l'atmosphère avec une plaisanterie ou quelques mots aimables.

C'est avant le début de la négociation qu'il faut entamer ce genre de relations. On doit faire la connaissance de ceux d'en face, découvrir ce qui leur fait plaisir, ce qu'ils n'aiment pas, chercher à les rencontrer sans cérémonie ; on arrivera avant l'heure officielle de l'ouverture des séances pour se réserver le temps d'un petit bavardage ou on traînera un moment après la clôture des discussions. Benjamin Franklin avait un truc familier qu'il utilisait fréquemment : il demandait à son adversaire de lui prêter tel ou tel ouvrage ; la personne ainsi sollicitée avait l'impression flatteuse de lui avoir rendu service.

Ne pas attaquer les personnes mais l'objet du différend. Si des négociateurs se considèrent comme des ennemis qui ont un compte personnel à régler, comment pourraient-ils séparer ce qui concerne leur relation de la matière du différend ? Quoi que l'un dise — même s'il s'agit du conflit — l'autre se sent visé personnellement ; ils ont tous deux des réactions de défense et ne se préoccupent plus des intérêts légitimes de leur vis-à-vis. Il vaut beaucoup mieux que les négociateurs se considèrent comme des partenaires, attachés l'un et l'autre à la recherche d'une solution avantageuse pour tous les deux. Comme on voit deux naufragés sur un canot pneumatique se disputer en pleine mer pour le rationnement des vivres, ainsi des négociateurs peuvent-ils en arriver à se regarder de travers. Chacun voit l'autre comme un obstacle. Il faudra bien, pourtant, que nos deux naufragés cessent de se quereller pour résoudre leur véritable problème. Ils devront prendre conscience qu'ils ont besoin tous les deux de nourriture, d'ombre, d'eau et de médicaments ; ils devront même trouver ensemble une solution à ces besoins essentiels et rester unis pour résoudre d'autres questions telles que prendre soin de la montre, recueillir l'eau de pluie ou amener le canot jusqu'au rivage. Une fois qu'ils se seront rendu compte qu'ils sont embarqués dans la même galère, ils seront capables de trouver un accord pour leurs intérêts divergents aussi bien que pour leurs intérêts communs. Ainsi en ira-t-il pour deux négociateurs. Même s'ils ont une relation très précaire, une fois qu'ils auront accepté de reconnaître qu'ils sont l'un et l'autre partie prenante au conflit auquel ils doivent ensemble faire face, ils auront déjà fait un grand pas vers une solution amiable de leurs difficultés.

Nous pourrions dire que, le *face-à-face*, le travail des négociateurs doit devenir un *coude à coude*. On peut aborder franchement la question avec son adversaire : « Écoutez, nous sommes tous les deux avocats (ou diplomates, hommes d'affaires, parents...) et à moins de se mettre d'accord pour servir vos seuls intérêts, je ne vois pas comment on arrivera à servir les miens — et vice versa. Examinons ensemble la question pour servir nos intérêts communs, voulez-vous ? » On peut également entamer soi-même la négociation en pratiquant la technique du coude à coude, l'adversaire aura peut-être envie de suivre l'exemple et de se mettre de la partie.

Nous dirons que s'asseoir physiquement du même côté de la table, face aux contrats, cartes, blocs de feuilles blanches et autres documents relatifs à la question débattue, facilite le déroulement des discussions. Si les participants ont su préalablement établir un courant de confiance, à la bonne heure ! Mais même si leurs relations sont précaires, il faut qu'ils essaient de bâtir leur négociation comme un travail au coude à coude auquel chacun d'entre eux — avec ses intérêts, ses opinions et son engagement affectif différents — s'attellera avec les autres.

La méthode

Traiter séparément les questions de personnes et le différend est une méthode qui doit être utilisée dans toutes les négociations. L'essentiel de la démarche est de traiter les personnes comme des êtres humains, et le différend en toute objectivité. Ce dernier point sera le sujet des trois chapitres suivants.

3. Se concentrer sur les intérêts en jeu et non sur les positions

Voici la très édifiante querelle des deux clients d'une bibliothèque. L'un voulait que la fenêtre soit ouverte et l'autre fermée. Ils se chamaillaient sans cesse pour savoir s'ils allaient la laisser ouverte... un petit peu ? à moitié ? aux trois quarts ? Rien ne pouvait satisfaire l'un et l'autre à la fois.

C'est alors qu'arriva la bibliothécaire. Elle demanda à l'un : « Pourquoi voulez-vous la fenêtre ouverte ? — Pour avoir de l'air frais ! » ; puis se tournant vers l'autre : « Et vous, pourquoi voulez-vous qu'elle reste fermée ? — Pour éviter le courant d'air ! » Après une minute de réflexion, elle alla ouvrir la fenêtre... de la pièce d'à côté, donnant ainsi de l'air frais, en évitant le courant d'air.

Pour trouver une solution judicieuse,
il faut concilier les intérêts, pas les positions.

Cette histoire est caractéristique de bon nombre de négociations. Tant que les gens croient que c'est une espèce de guerre de positions qui les sépare, ils s'évertuent à concilier des positions, ils pensent positions et discutent positions au risque bien souvent de bloquer la situation.

La bibliothécaire aurait très bien pu passer à côté de la solution, si elle ne s'était préoccupée que de la position respective de ses clients sur la question. Au lieu d'être obnubilée par une fenêtre ouverte ou fermée, elle s'est préoccupée de connaître les intérêts profonds de chacun : l'un veut de l'air frais, l'autre a peur du courant d'air. Faire la distinction entre positions et intérêts, voilà ce qui compte vraiment dans une négociation.

Les intérêts en jeu caractérisent le différend. Ce ne sont pas les divergences de position qui fondent une négociation. En revanche, les besoins, les craintes, les désirs, les soucis divergents des parties en présence en constituent la matière même.

On peut entendre : « Il ne fera pas de la spéculation immobilière sur mon dos, c'est moi qui vous le dis ! » ou « Il veut 100 000 dollars de sa maison. Je ne suis pas d'accord. Je n'en donnerai pas plus de 95 000 ! »

Si l'on se place sur un plan plus essentiel, on devrait entendre : « Il a besoin de liquide. Moi, je veux la paix et la tranquillité ! » ou « Il lui faut au moins 100 000 dollars pour régler son affaire de divorce ; moi, j'ai promis chez moi de ne pas mettre plus de 95 000 dollars dans l'achat d'une maison. » Ce sont des soucis, des désirs de ce genre qui constituent ce que nous appelons les *intérêts*. Ils sont les moteurs silencieux de l'action, tandis que les positions en sont les bruyantes manifestations. Bref, les positions ne font que traduire — parfois mal — les intérêts fondamentaux.

Le traité de paix égypto-israélien, ébauché en 1978 à Camp David, nous paraît être une bonne illustration de notre propos. En 1967, après la guerre des Six Jours, Israël avait occupé la région du Sinaï, territoire égyptien. Quand Israël et l'Égypte se sont rencontrés en 1978 pour négocier un traité de paix, leurs positions étaient incompatibles : Israël refusait d'évacuer tout le Sinaï tandis que l'Égypte exigeait de recouvrer la souveraineté de cette région dans sa totalité. Et des experts dessinaient des piles interminables de cartes traçant de problématiques frontières entre l'un et l'autre pays. Mais il n'était pas question pour l'Égypte d'accepter un compromis dans le sens du partage, pas plus que pour Israël de retourner à la situation d'avant 1967.

Au lieu d'en rester là, les négociateurs examinèrent leurs intérêts respectifs découvrant ainsi la voie à la solution du conflit. La sécurité passait avant tout pour les Israéliens : ils ne voulaient pas courir le risque de voir, à tout moment, fondre sur eux des tanks égyptiens alignés le long de leurs frontières. L'intégrité nationale passait au premier rang des préoccupations égyptiennes : le Sinaï faisait déjà partie de leur pays à l'époque des pharaons. Après des siècles de domination étrangère, des Grecs aux Anglais, en passant par celle des Romains, des Turcs et des Français, l'Égypte avait depuis peu reconquis son entière souveraineté ; elle ne pouvait donc en aucun cas accepter de céder un pouce de ce territoire à un autre conquérant.

A Camp David, le président égyptien Sadate et le premier ministre israélien Begin acceptèrent un plan selon lequel le Sinaï serait intégralement rendu à la souveraineté égyptienne tandis que de vastes zones démilitarisées assureraient la sécurité des Israéliens. Ainsi le drapeau du peuple d'Égypte flotterait sur tout le territoire sans qu'un seul de ses tanks ne vienne menacer Israël.

L'avantage d'harmoniser des intérêts plutôt que des positions est double. D'une part, on a toujours le choix entre plusieurs positions possibles, même si trop souvent les gens se contentent d'adopter la plus évidente — tels les Israéliens décrétant qu'ils continueraient d'occuper une partie du Sinaï. Si l'on étudie les causes de l'antagonisme des positions, on se rend fréquemment compte que l'on pourrait adopter une position différente propre à répondre à la fois aux exigences des deux adversaires. Ainsi la démilitarisation était, dans la question du Sinaï, une solution de remplacement. D'autre part, il vaut mieux concilier des intérêts plutôt que chercher des compromis à des positions, parce que, sur le nombre des intérêts en jeu que recouvrent des positions divergentes, il y en a peu qui soient véritablement incompatibles.

Une guerre de positions recouvre autant d'intérêts communs ou conciliables que d'intérêts antagoniques. Les gens se figurent généralement que si leurs positions sont divergentes, leurs intérêts le sont forcément. « Si j'ai intérêt à me défendre, il a intérêt à m'attaquer. » « Je cherche un loyer très peu élevé, donc il cherche à louer le plus cher possible. » La plupart du temps, cependant, un examen sérieux des intérêts qui sous-tendent les positions révélera qu'il y a, certes, des intérêts opposés, mais beaucoup moins que partagés ou compatibles.

Supposons, par exemple, le cas du propriétaire d'un appartement et d'un candidat au logement. En premier lieu, quelles sont les préoccupations qu'ils ont en commun ?

1. La stabilité : le propriétaire ne veut pas changer de locataire tous les six mois. Le locataire a besoin d'un domicile fixe.
2. Le bon état des lieux : le propriétaire désire augmen-

ter la valeur de son bien et le standing de l'immeuble. Le locataire va vivre dans cet appartement.

3. Les bonnes relations entre eux : le propriétaire a besoin d'encaisser régulièrement son loyer. Le locataire doit pouvoir compter sur son propriétaire pour effectuer les réparations nécessaires.

En second lieu, quelles sont les préoccupations différentes, sinon opposées ?

1. Admettons que le locataire soit allergique aux odeurs de peinture : il ne veut donc pas conclure avant la fin des travaux. En revanche, le propriétaire n'a pas les moyens de faire une réfection complète des lieux.
2. Le propriétaire voudrait avoir l'assurance d'un mois de location d'avance. Payer tout de suite ou plus tard, peu importe au locataire qui est, à vrai dire, séduit par cet appartement.

Une fois qu'ils auront bien pesé leurs préoccupations communes, et leurs soucis différents, la question du montant du loyer qui les oppose paraîtra moins difficile à régler.

Pour servir leurs intérêts communs, ils pourraient envisager de signer un bail de plusieurs années, de partager les frais afin de rendre l'appartement plus agréable et de faire un effort l'un et l'autre pour entretenir de bonnes relations.

Pour concilier leurs intérêts différents, d'une part le locataire pourrait payer immédiatement le mois d'avance, et le propriétaire, d'autre part, pourrait faire les travaux de peinture dans toutes les pièces, le locataire se chargeant de payer le matériel.

Il ne reste plus désormais qu'à déterminer le montant du loyer, et, pour cela, ils peuvent s'en remettre à une association officielle de locataires et propriétaires.

Si l'on arrive à un accord, c'est bien souvent parce que l'on n'a pas les mêmes intérêts que celui d'en face. Le cas du marchand de chaussures et de son client en est l'illustration la plus simple : ils ont besoin d'argent et de chaussures l'un et l'autre, mais inversement : le chausseur préfère gagner 50 dollars et vendre ses chaussures, le client préfère prendre les chaussures et donner ses 50 dollars. Ils sont faits pour s'entendre !

Comme les cubes d'un jeu de construction, les intérêts partagés et les intérêts différents mais complémentaires s'imbriquant les uns dans les autres permettent d'échafauder un accord judicieux.

Comment déterminer les intérêts en jeu.

Si l'on voit bien ce que l'on gagne quand on cherche les raisons qui ont pu pousser un négociateur à prendre telle ou telle position, on n'est pas pour autant assuré de les trouver sans peine ! On explicite sa position, elle fait partie du domaine du concret ; en revanche, les intérêts relèveraient plutôt du domaine de l'inexprimé, de l'intangible, même parfois de l'incohérent. Que va donc faire le négociateur pour arriver à mettre au clair les siens bien sûr, mais aussi ceux de la partie adverse ?

Poser la question : « Pourquoi ? » Une technique très simple consiste à se mettre à la place de l'adversaire. On s'interroge afin de découvrir ce qui le pousse à prendre telle position. Pourquoi, par exemple, le propriétaire préfère-t-il reconduire le montant du loyer chaque année, alors qu'un bail de cinq ans le lie à son locataire ? L'inflation doit être une des explications parmi d'autres. Il est d'ailleurs toujours possible d'interroger le propriétaire à ce sujet ; qu'il soit bien établi dans ce cas qu'on ne lui demande pas de justifier sa position, mais qu'il s'agit seulement de comprendre les besoins, les espoirs, les craintes et les désirs qui l'ont amené à la prendre : « Dans le fond, pourquoi refusez-vous de signer un bail de plus de trois ans ? »

Poser la question : « Pourquoi pas ? » Étudier le choix de l'adversaire. En règle générale, il faut essayer de deviner la solution première que l'adversaire pense que l'on va lui imposer, pour ensuite examiner ce qui l'empêcherait d'y souscrire. Quelles préoccupations recouvre ce refus ? Quand on désire que la partie adverse modifie ses opinions, on a d'abord intérêt à les connaître.

Prenons, par exemple, les négociations entre les États-Unis et l'Iran en 1980 à propos de la libération des cinquante-deux diplomates et membres du personnel de l'ambassade américaine, pris en otages par les étudiants islamiques. Il y avait une foule d'obstacles sérieux à la solution de ce conflit, mais la question prend un aspect très nouveau si l'on examine tout simplement la situation telle que pouvait la voir un chef de groupe d'étudiants. L'exigence américaine était sans équivoque : « Libérez les otages ! » En 1980, c'est à peu près comme suit que les dirigeants étudiants devaient raisonner :

Point de vue du dirigeant d'un groupe d'étudiants iraniens.

Question qui se pose à lui : Faut-il voter pour la libération immédiate des otages américains ?

Si je dis oui	*Si je dis non*
— Je laisse tomber la révolution.	+ Je soutiens la révolution.
— On m'accusera d'être pro-américain.	+ Je serai à l'honneur comme défenseur de l'Islam.
— Les autres ne seront pas d'accord avec moi. S'ils le sont et qu'on relâche les otages, alors :	+ Tous me suivront.
	+ La télévision va s'intéresser à nous, on pourra parler de nos problèmes et de nos revendications à la face du monde entier.
— On croira l'Iran faible.	+ On croira l'Iran fort.
— On s'incline devant les États-Unis.	+ On tient tête aux États-Unis.
— On a tout à perdre (le shah, l'argent).	+ On y gagne de toute façon ne serait-ce que notre argent.
— On ne sait pas ce que les États-Unis vont faire.	+ Tant qu'on a les otages, les États-Unis n'interviendront pas.
Mais	**Mais**
+ Peut-être y a-t-il une chance d'en finir avec les sanctions économiques.	— Les sanctions économiques ne vont pas être suspendues, c'est sûr.
+ Nos relations avec les autres pays, en particulier avec l'Europe, vont s'améliorer.	— Nos relations avec les autres pays, en particulier avec l'Europe, vont en souffrir.
	— On ne sortira pas de nos problèmes économiques ; l'inflation va continuer.

— On risque une intervention militaire des Américains (mais rien n'est plus glorieux que mourir en martyr).

Conclusion

+ Les États-Unis peuvent faire des concessions supplémentaires (argent, non-intervention, sanctions...).

+ On peut toujours relâcher les otages plus tard.

Si le raisonnement d'un dirigeant des étudiants islamiques ressemblait, même approximativement, à celui-ci, on comprend mieux pourquoi les otages ont été retenus si longtemps. Leur prise, en soi, était une action scandaleuse et illégale, mais une fois que c'était fait, il entrait dans la logique des étudiants de remettre toujours au lendemain leur libération, en attendant le moment le plus favorable.

Pour déchiffrer la manière dont l'adversaire voit la question à un moment donné, il faut commencer par identifier la personne responsable des décisions sur lesquelles on désire influer. Il faut étudier ensuite comment l'adversaire voit pour l'instant la décision qu'on lui demande de prendre. Si l'on n'en a pas la moindre idée, peut-être qu'après tout lui non plus et ce seul fait suffirait à expliquer qu'il ne se décide pas dans le sens que l'on voudrait.

Il faut, après cela, analyser, du point de vue de l'adversaire, les conséquences d'un refus ou d'une acceptation de sa part. On peut en dresser une liste selon le modèle suivant :

Conséquences sur mes intérêts personnels :
- Je perds ou je gagne des appuis politiques ?
- Mes amis vont me critiquer ? me féliciter ?

Conséquences sur les intérêts du groupe :
- A court terme ? à long terme ?
- Économiques ? sur les plans politique ? légal ? psychologique ? militaire... ?
- Réactions des soutiens extérieurs et de l'opinion publique ?
- Bon ou mauvais précédent ?
- Cette décision en empêche-t-elle une meilleure ?
- Est-elle conforme à nos principes ?
- Pourra-t-on faire la même chose plus tard ?

Il ne faut pas croire que ces investigations sont d'une grande précision. Il y a peu de négociateurs qui mettent noir sur blanc leurs idées pour en peser le pour et le contre. Il ne s'agit pas ici de résoudre un problème mathématique mais seulement d'essayer de comprendre ce qui se passe dans un cerveau humain.

Comprendre que chaque partie a plus d'un intérêt en jeu. Dans la quasi-totalité des négociations, on joue sur plusieurs tableaux à la fois. Un locataire, par exemple, qui discute d'un bail, pourrait souhaiter à la fois un contrat qui lui soit favorable, un accord rapidement conclu et sans complication, et de bonnes relations avec le propriétaire. Signer un contrat dans le sens désiré l'intéresserait tout autant que le signer tout court. Il chercherait à satisfaire dans le même temps ses intérêts particuliers et ceux qu'il partage avec son vis-à-vis.

Les négociateurs font couramment l'erreur de supposer

que tous ceux du camp adverse ont des intérêts identiques, ce qui est extrêmement rare. Pendant la guerre du Vietnam, le président Johnson avait l'habitude de mettre tous ses adversaires dans le même sac, qu'il s'agisse des membres du gouvernement du Vietnam du Nord, des Vietcongs du Sud ou de leurs conseillers soviétiques et chinois. Il parlait d'eux collectivement, c'était : « il ». « L'ennemi va se rendre compte qu'*il* ne peut pas affronter impunément les États-Unis. *Il* ne va pas tarder à apprendre que l'agression ne paie pas. » Ce ne doit pas être facile de faire accepter quoi que ce soit à un « il » quelconque (ou même à des « ils »), quand on ne perçoit pas que ce vocable recouvre les intérêts différents d'un certain nombre de nations et de groupes politiques.

Si, par souci de clarté, on parle de négociations comme s'il s'agissait d'affaires entre deux personnes ou deux camps, on sait que, normalement, d'autres personnes, d'autres camps et d'autres influences entrent en jeu. Voici une anecdote que nous avons prise dans le monde du sport. Il s'agit d'une négociation à propos du salaire d'un joueur de football professionnel. Le responsable du club refusait mordicus les millions demandés, soutenant que c'était une somme exorbitante pour un joueur, alors même qu'il était notoire qu'un certain nombre de joueurs de la même classe touchaient des sommes équivalentes dans d'autres équipes. L'explication était toute simple, mais notre homme ne pouvait en faire état : le club connaissait des difficultés de trésorerie que les administrateurs ne voulaient pas divulguer. Ils avaient demandé au responsable de refuser la somme demandée sans exposer les raisons réelles du refus.

Le négociateur n'est pas seul en course, il défend les intérêts de son entourage ou de ses mandants, qu'il s'agisse de son patron, de sa clientèle, de ses collègues ou encore de sa famille ou de son conjoint. En disant qu'il faut apprendre à connaître ses intérêts, nous visons donc tous les intérêts qu'il prend en compte, dans toute leur variété.

Ce sont les exigences fondamentales de l'être humain qui jouent le rôle le plus important. Dans cette recherche des raisons qui incitent à adopter telle ou telle position, il faut faire un sort particulier aux exigences fondamentales qui nous motivent tous. En y satisfaisant, on augmente à la fois ses chances d'obtenir un accord et, cela fait, de voir son adversaire le respecter.

Quelles sont ces exigences ?

La sécurité.

Le bien-être économique.

L'appartenance à une communauté.

L'identification.

La maîtrise de sa destinée.

Malgré leur importance fondamentale, il est facile de les négliger. Les gens ont fréquemment tendance à ne voir dans une négociation que des questions de gros sous. Et pourtant, même quand il s'agit d'argent, par exemple le montant d'une pension alimentaire dans un jugement de divorce, le jeu n'est pas si simple. Quels sont les véritables besoins d'une femme qui réclame une pension mensuelle de 4 000 dollars ? Son bien-être économique la préoccupe sans aucun doute mais ce n'est pas tout ; elle doit vouloir cet argent pour affermir sa confiance en elle, peut-être parce qu'elle éprouve également le besoin d'être reconnue et traitée avec justice comme un individu à part entière. Si son mari n'a pas les moyens de payer une somme pareille, il est probable qu'elle acceptera de modérer ses prétentions dans la mesure où elle n'a pas besoin d'autant, pourvu que l'on fasse ce qu'il faut pour satisfaire par ailleurs ses exigences fondamentales de sécurité et d'identité.

Ce qui est vrai pour les individus l'est également pour les collectivités et les nations. Une négociation court le risque de stagner tant qu'un des participants a l'impression que ses préoccupations fondamentales ne sont pas prises en compte par son vis-à-vis. Prenons l'exemple de la querelle qui a opposé les États-Unis au Mexique à propos du gaz naturel mexicain que les Américains désiraient acheter à bas prix. Persuadé que toute cette affaire se réduisait à une question de gros sous, le secrétaire d'État à l'Énergie américain refusa de ratifier une augmentation de prix négociée entre un groupe de compagnies pétrolières américaines et le Mexique ; du moment que ce dernier n'avait pas d'autre acheteur en vue, il suffisait d'attendre pour qu'il accepte de baisser ses prix. Mais si les Mexicains avaient certes intérêt à conclure un marché avantageux, ils voulaient aussi qu'on les respecte en les traitant sur un pied d'égalité. L'attitude américaine avait une fois de plus blessé les Mexicains dans leur honneur sourcilleux, et ils réagirent très vivement. Le gouvernement préféra brûler son gaz, et tout espoir de parvenir à un accord pourtant *économique* fut perdu pour des raisons *politiques*.

Le même genre de difficulté s'oppose aux négociations sur l'avenir de l'Irlande du Nord. Les dirigeants protestants de cette province du Royaume-Uni ont tendance à négliger certaines des exigences fondamentales des catholiques — leur désir de faire accepter leur appartenance à une communauté particulière et de voir reconnaître leur droit à être acceptés et traités en citoyens à part entière. De leur côté, les dirigeants catholiques semblent faire peu de cas du besoin de sécurité des protestants ; ils considèrent que les craintes de ces derniers ne les concernent pas — « c'est leur affaire » — et qu'ils n'ont donc pas à s'en préoccuper. Ils rendent ainsi plus malaisée la solution du conflit qui les oppose.

Faire une liste. On trouvera peut-être bon de noter sur une feuille de papier les différents intérêts de chacun au fur et à mesure qu'ils viennent à l'esprit : on ne courra plus le risque de les oublier, et chaque information nouvelle permettra de les préciser pour les classer ensuite par ordre d'importance ; enfin, on pourra éventuellement s'en inspirer quand il s'agira de découvrir comment répondre à ces intérêts.

Chacun doit aborder la question de ses préoccupations.

On négocie pour servir ses propres intérêts. On aura plus de chances d'y parvenir si l'on aborde cette question avec la partie adverse — peut-être n'en sait-elle pas plus sur nos intérêts que nous sur les siens. L'une ou l'autre, ou les deux à la fois, peuvent ressasser de vieilles histoires au lieu de se préoccuper de l'avenir ; parfois même nul n'écoute ce que l'autre dit.

Quelle est la méthode à suivre pour parler d'une manière constructive des intérêts de chacune des parties en présence en évitant de s'enfermer dans une position intransigeante ?

Si nous voulons que ceux d'en face tiennent compte de ce qui nous préoccupe, il faut leur en donner une claire explication. Prenons par exemple le délégué d'une association de quartier qui vient faire part à un entrepreneur de ses inquiétudes au sujet d'un de ses chantiers ; il devra parler des problèmes de la sécurité des enfants et du bruit qui risque de perturber le sommeil des habitants. Un auteur qui voudrait avoir la possibilité de distribuer gratuitement un très grand nombre de ses ouvrages devrait discuter la question avec son éditeur ; ce dernier, qui partage l'intérêt de son auteur pour la promotion du livre, acceptera vraisemblablement de lui vendre les exemplaires demandés à bas prix.

Expliquer d'une manière concrète. Imaginons qu'un homme souffrant horriblement d'un ulcère à l'estomac aille chez le médecin et lui dise : « J'ai un peu mal à l'estomac ! » Il ne pourra pas attendre un grand soulagement de cette visite ! Ce qu'il faut, c'est faire comprendre à son interlocuteur l'importance exacte et le bien-fondé de ses préoccupations.

La règle d'or est *d'être précis*. On est plus sensible à un récit émaillé de détails concrets, il frappe davantage. Le délégué dira à l'entrepreneur : « Mardi, vers huit heures et demie du matin, un de vos énormes camions rouges qui transportent du gravier descendait la rue à près de soixante kilomètres à l'heure ; il a fait une embardée et il a failli renverser Loretta Johnson, une petite fille de sept ans. »

Du moment que l'on n'a pas l'air de se désintéresser ou de douter des préoccupations de son adversaire, on peut se permettre de souligner avec conviction le sérieux de son propre point de vue. En ponctuant son exposé de « Veuillez rectifier si je fais erreur », on fait preuve d'ouverture d'esprit et, si l'adversaire n'élève aucune objection, on peut considérer qu'il admet la version des faits présentée.

Un négociateur devra faire ressortir la légitimité de ses préoccupations s'il veut toucher son adversaire ; il ne faut surtout pas qu'il lui donne l'impression de l'attaquer personnellement mais plutôt que la question mérite qu'on s'y attarde. Il doit parvenir à le convaincre qu'à sa place, il aurait la même réaction : « Vous avez des enfants, que diriez-vous si des camions venaient dévaler la rue que vous habitez à plus de soixante à l'heure ? »

Reconnaître ouvertement que les intérêts de l'adversaire font partie de la discussion. Nous sommes tous tellement absorbés par nos propres soucis que nous prêtons une oreille distraite à ceux des autres. Mais nous écoutons plus attentivement la personne qui nous donne l'impression de nous avoir compris ; nous pensons volontiers qu'elle est sympathique et intelligente, que cela doit valoir la peine d'écouter ce qu'elle a à dire. Si, par conséquent, nous voulons que notre adversaire s'intéresse à nos préoccupations, il faut commencer par nous intéresser aux siennes. « Si je comprends bien ce qui vous préoccupe, dira le délégué à l'entrepreneur, c'est de terminer vos travaux sans délai et à moindres frais, c'est également de ne pas avoir d'histoires de sécurité et de responsabilité civile. Est-ce que je me trompe ? Avez-vous d'autres graves soucis ? » On manifeste ainsi clairement que l'on a compris les préoccupations de la partie adverse et que l'on en tient compte dans la recherche de la solution à la question qui se pose. C'est particulièrement facile si l'on partage certains intérêts : « Ce serait terrible pour tout le monde si un de vos camions renversait un enfant ! »

Poser la question avant de donner votre solution. Si le délégué commence l'entrevue par : « Nous estimons que vous devriez construire une palissade autour du chantier dans les quarante-huit heures ; il faudrait d'ores et déjà limiter la vitesse de vos camions à quinze kilomètres à l'heure quand ils roulent dans cette rue. Maintenant, si vous le voulez bien, je vais vous exposer les raisons qui... », il peut être assuré que l'entrepreneur n'écoutera pas un mot de son explication. La position de son adversaire est claire pour lui, et il est sans nul doute tout occupé à préparer les arguments qu'il va lui opposer ; le ton avec lequel a parlé le délégué ou le contenu de sa suggestion l'auront choqué ; en tout cas, le raisonnement glissera complètement sur lui.

Pour être écouté et compris, le délégué devait en premier lieu exposer ses préoccupations et leurs causes et donner seulement ensuite ses conclusions ou ses suggestions. Il devait commencer par parler du problème de la sécurité des enfants et de la question du sommeil perturbé des voisins. C'est à cette condition que l'entrepreneur l'écouterait avec attention, ne serait-ce que pour voir où il veut en venir ; et quand le délégué en arriverait à ses conclusions, l'entrepreneur en connaîtrait les raisons.

Oublier le passé pour se tourner vers l'avenir. On constate avec surprise que nos actes sont souvent de simples réactions à ce qu'un autre vient de dire ou de faire. Il est fréquent de voir les gens s'engager dans une sorte de discussion qui ressemble à une négociation sans en être une. Ils ne sont pas d'accord sur un sujet quelconque et ils discutent comme s'ils cherchaient à s'entendre ; en réalité, ils obéissent plutôt à une espèce de code, quand ils ne passent pas tout simplement le temps. Chacun ne pense qu'à marquer des points contre l'autre. Ils accumulent des évidences pour confirmer des opinions arrêtées depuis longtemps et sur lesquelles ils ne sont pas prêts de revenir : aucun ne cherche une solution à la dispute ou à convaincre son vis-à-vis.

Si l'on demande à deux personnes pourquoi elles se

disputent, elles donneront plus volontiers leur point de départ que leur but. Qu'il s'agisse d'une querelle entre deux époux, entre un syndicat et une entreprise, ou entre deux hommes d'affaires, les gens ont tendance à réagir à ce qu'on leur a fait, ou dit, au lieu de préserver l'avenir de leurs intérêts : « Ils n'ont pas le droit de me traiter comme ça ! S'ils croient qu'ils vont s'en sortir, ils vont avoir du fil à retordre ! Je vais leur apprendre ! »

On utilise le mot « pourquoi » dans deux sens assez différents : d'une part, quand on désire connaître la cause d'un événement passé qui va déterminer notre comportement ; d'autre part, quand on désire au contraire connaître le but vers lequel on a décidé d'aller. Inutile d'entamer un débat philosophique sur le déterminisme et le libre-arbitre chaque fois que l'on doit prendre une décision. Si nous ne sommes pas libres, nous agissons comme si nous l'étions : nous avons un *choix* à faire en tout cas entre le « pourquoi » tourné vers l'avenir, et celui tourné vers le passé.

Pour servir ses intérêts, il vaut mieux parler de ce que l'on voudrait faire que de ce qui a été fait. Un négociateur doit expliquer les projets qu'il souhaite réaliser au lieu de ressasser des histoires anciennes — les charges du dernier terme échu qui étaient trop élevées, la décision de la semaine passée, prise sans l'autorité compétente, les résultats du match de la veille, très décevants. Il ne s'agit pas de demander à la partie adverse de justifier ce qu'elle a fait hier mais de préciser ce qu'elle a l'intention de faire demain.

Savoir se montrer résolu sans cesser d'être conciliant. Un négociateur doit être à la fois décidé et ouvert aux idées nouvelles. Nombreux sont ceux qui, pour éviter de prendre une décision délicate, se présentent au début des pourparlers sans autre projet que celui de s'asseoir en face de leur adversaire et d'attendre ce qu'il va leur proposer.

Une fois déterminés les intérêts de chacun, comment mettre au point des solutions précises tout en gardant un certain recul par rapport à son travail ? Au moment de concrétiser les intérêts, il faut se demander : « Dans le cas où la partie adverse se rallierait à ma proposition, est-ce que je sais précisément où j'aimerais l'amener ? » Il suffit ensuite, pour garder sa souplesse d'esprit, de considérer la proposition comme un exemple, et de ne pas oublier qu'il y a toujours plusieurs solutions possibles : un négociateur travaille avec des « exemples précis ».

Un tenant de la négociation classique, désireux de terminer les discussions sur une position ouverte, gagnerait tout autant en suggérant des « exemples » ; il pourrait, qui plus est, se permettre le luxe de tenir compte des intérêts de son vis-à-vis. Dans la négociation à propos du salaire d'un joueur de football, l'entraîneur pourrait dire : « Henderson estime qu'il vaut cinq millions par an ; si on lui proposait cette somme avec un contrat de, disons cinq ans, il n'aurait plus à s'inquiéter pour son avenir professionnel. »

Être ferme sur la question débattue et conciliant avec les participants. On peut être aussi ferme sur le fond du problème que n'importe quel autre négociateur le serait sur sa position. Il vaut même mieux l'être. On a tort de s'engager à fond pour une position, mais on a raison de s'engager à fond pour servir ses intérêts, c'est même sur ce point que l'on peut dépenser son agressivité. L'adversaire, absorbé par ses propres soucis, serait enclin à escompter avec trop d'optimisme une foule d'arrangements acceptables. Celui qui défend avec fermeté ses propres intérêts trouvera les solutions les plus avantageuses à sa cause, à moindres frais pour son adversaire. Quand deux négociateurs ne transigent ni l'un ni l'autre avec leurs objectifs, ils se stimulent pour inventer des solutions propres à les satisfaire tous les deux.

L'entrepreneur, préoccupé par l'inflation, aura surtout le souci de terminer à temps pour ne pas augmenter les frais. Il va falloir le secouer, comme l'on dit. Il suffira peut-être d'un peu d'émotion dans le discours pour rétablir l'équilibre entre ses préoccupations de profit et la vie de petits enfants. Si l'on désire vraiment la justice, il ne faut pas se laisser arrêter sous prétexte que l'on a envie d'être conciliant. « Vous ne voulez sûrement pas dire que la vie de mon petit garçon ne vaut pas le prix d'une palissade ! Vous ne diriez pas la même chose s'il s'agissait de votre enfant ! Je ne peux pas croire que vous manquiez de cœur, on arrivera bien à trouver une solution ! »

Il ne faut pas que l'adversaire se sente personnellement menacé dès que l'on attaque l'objet du différend, sinon il va se replier sur lui-même et cesser de participer. Il est donc important de marquer une nette distinction entre les questions de personnes et de fond. Un négociateur attaquera le fond sans faire de reproches aux personnes. Il ira encore plus loin, il devra lui-même faire preuve de patience en écoutant son adversaire avec déférence, en se montrant courtois, en lui manifestant combien il apprécie le fait d'être reçu et écouté, en mettant en évidence son souci de respecter les besoins fondamentaux de son interlocuteur et ainsi de suite. Bref, il devra lui démontrer que ce n'est pas lui qu'il attaque mais l'objet du différend.

Nous vous conseillons ce procédé empirique qui peut se révéler utile : il s'agit de manifester à ceux du camp adverse une sympathie d'autant plus active que l'on met de vigueur à souligner l'objet du différend. Ce mélange de sympathie et de fermeté aura l'air incohérent et c'est justement cette incohérence qui le rend efficace. Si, par exemple, le délégué aborde avec fermeté la question de la vitesse des camions dans une rue très fréquentée, tout en se montrant attentif aux soucis de l'entrepreneur, il créera une situation de « *cognitive dissonance* » qui obligera ce dernier à prendre du recul par rapport au différend afin de chercher une solution en collaborant avec son vis-à-vis.

Plus on lutte résolument sur les questions de fond, plus rapidement on y apporte une solution décisive. Plus on se montre conciliant avec ceux du camp adverse, meilleures sont les relations et plus on a de chances d'aboutir à un accord. C'est l'alternance de l'esprit de conciliation et de la fermeté qui agit, l'un sans l'autre risquerait de rater le but.

Un négociateur qui défend ses intérêts avec fermeté ne doit pas rester sourd à ceux de son adversaire. Bien au contraire ! S'il veut que son adversaire l'écoute et discute avec lui de ses propositions, il doit tenir compte de ses intérêts et se montrer ouvert à ses suggestions. Un négociateur doit être à la fois ferme et conciliant, c'est le secret de sa réussite.

4. Imaginer des solutions procurant un bénéfice mutuel

La négociation entre l'Égypte et Israël est remarquable à double titre : d'une part le problème en jeu est capital, d'autre part la solution apportée est exemplaire.

Le problème se pose habituellement comme s'il n'y avait aucun moyen de partager le gâteau d'une manière qui soit également acceptable pour les deux parties en présence ; ou bien on négocie sur un plan unique — il s'agit de déterminer les limites d'un territoire, le prix d'une automobile, la durée d'un bail, le taux d'une commission ; ou bien on se trouve au contraire placé devant une alternative : selon le terme choisi, l'une des deux parties sera favorisée au détriment de l'autre et vice versa. Par exemple, dans un jugement de divorce, qui va garder la maison et les enfants ? On a l'impression d'avoir à choisir entre une victoire et une défaite — et personne n'aime la défaite. Pourtant, la victoire elle-même n'est pas sans mélange et laisse un goût amer : certes, on aura obtenu l'automobile à bon marché, ou la garde des enfants, ou un bail de cinq ans…, mais on est d'ores et déjà certain que ceux auxquels nous aurons imposé notre volonté ne nous le laisseront pas facilement oublier.

La voie choisie par les négociateurs dans l'affaire du Sinaï est exemplaire : entre l'impasse et l'accord, il n'y a bien souvent qu'un pas qui tient à la découverte d'une solution originale, en l'occurrence la démilitarisation du Sinaï.

Un avocat de nos amis attribue tout son succès à sa faculté d'imaginer des solutions avantageuses tant pour son client que pour son adversaire : il élargit le gâteau avant de le partager. Cette faculté d'imaginer des solutions est une des qualités que se doit de posséder un négociateur.

On voit encore trop fréquemment les gens terminer une négociation à l'instar de ces deux enfants qui se chamaillaient à propos d'une orange ; après s'être finalement mis d'accord pour partager l'orange, ils prirent chacun leur moitié, l'un mangea la pulpe et jeta la peau tandis que l'autre jetait la pulpe et utilisait la peau pour parfumer une pâtisserie. De trop nombreux négociateurs « perdent des plumes » dans les discussions, soit parce qu'ils n'arrivent pas à s'entendre alors qu'ils le pourraient, soit parce qu'ils obtiennent un accord qui aurait pu être plus avantageux. Ainsi la majorité des négociations se terminent-elles par le partage de l'orange quand l'un aurait pu avoir le fruit et l'autre la peau.

DIAGNOSTIC

Rares sont les négociateurs qui voient la nécessité de rechercher plusieurs solutions malgré l'avantage que cela représente. Dans une dispute, chacun estime en général détenir la bonne réponse et pense donc que son opinion doit l'emporter. De la même manière, dans la négociation d'un contrat, chacune des parties estimant son offre raisonnable considérera qu'elle devrait être adoptée, moyennant d'éventuels réajustements de prix.

Bref, l'ensemble des solutions existantes semble se situer sur une ligne droite joignant la position de départ des uns à celle des autres. La plupart du temps, on estimera avoir déjà beaucoup fait en se rencontrant à mi-chemin.

Dans la quasi-totalité des négociations, quatre obstacles s'opposent en général à l'invention d'un grand nombre de solutions possibles : (1) les jugements hâtifs ; (2) l'idée qu'il existe une solution et une seule ; (3) l'idée que le gâteau est limité par nature ; (4) l'idée que les difficultés de l'adversaire ne regardent que lui : « Il n'a qu'à se débrouiller ! »

Pour surmonter ces obstacles, il convient d'en être conscient et de bien les comprendre.

Les jugements hâtifs.

Imaginer des solutions ne vient pas tout seul, ne pas en imaginer serait plutôt la norme dans les affaires, même si la négociation se déroule dans une atmosphère détendue. Si l'on nous demandait à brûle-pourpoint de choisir le futur lauréat du prix Nobel de la paix, nos réserves et nos doutes étoufferaient quasiment dans l'œuf la moindre idée qui pourrait nous venir à l'esprit : comment être sûr que telle ou telle personne est la plus qualifiée pour ce titre ? Ou bien nous resterions à court d'idées, ou bien nous rejetterions des noms trop connus qui nous passeraient par la tête : « Bah ! Le pape, peut-être ? Ou le président ? » Rien ne ligote plus l'imagination que l'esprit critique toujours prêt à mettre en évidence les défauts de toute idée nouvelle : le jugement freine l'imagination.

La tension qui règne au cours des négociations stimule l'esprit critique : dans une discussion pratique on n'attend pas des idées sans queue ni tête, on veut des idées pratiques.

Supposons qu'un employé négocie avec son patron l'augmentation annuelle de son salaire ; il a demandé 4 000 dollars et le patron lui en a offert 1 500 qu'il a refusés. La situation est tendue, il n'a guère l'esprit à trouver des propositions originales, la crainte d'être traité de fou l'arrête : s'il avance l'idée lumineuse de partager la poire en deux — une moitié de l'augmentation dans son salaire, l'autre sous forme de primes — il a peur de s'entendre dire : « Voyons, soyons sérieux ! Vous connaissez notre règlement, vous savez que c'est hors de question ! Je suis même étonné d'une suggestion pareille de votre part ! » De même si, sous l'impulsion du moment, il imagine un échelonnement éventuel sur toute l'année, son patron le prendra peut-être au mot : « Bien ! Je suis d'accord pour discuter sur cette base ! » Tant que l'on risque de prendre tout ce qu'il dit pour une proposition de compromis, il aura intérêt à bien considérer ses idées avant de parler. Il peut également être retenu par la crainte de dévoiler une information en se laissant aller à son imagination et de compromettre ainsi sa position. S'il suggère, par exemple, que son entreprise pourrait aider à financer l'achat d'une maison qu'il a l'intention d'acquérir, son patron pourrait en conclure qu'il a l'intention de garder son emploi en tout cas et qu'il finira par accepter l'augmentation prévue.

La recherche de la seule et unique réponse.

La plupart des gens pensent que pour négocier, point n'est besoin d'imagination. Ils se bornent à tenter de réduire l'écart entre des positions sans penser à élargir le champ des possibilités acceptables. « On a eu déjà assez de mal pour en arriver là, pas besoin de tas d'idées différentes ! » ont-ils tendance à se dire. Comme ils estiment n'avoir à prendre qu'une décision, ils ne voient pas l'intérêt de se laisser entraîner dans des discussions ouvertes et informelles qui les mèneraient dans tous les sens au risque de retarder et d'embrouiller la négociation.

Les critiques et les conclusions hâtives sont les deux premiers obstacles à l'imagination. Celui qui, dès le début, se borne à chercher une réponse, la seule et unique, perdra toutes les chances de trouver une série de possibilités parmi lesquelles choisir une solution judicieuse.

L'hypothèse selon laquelle les limites du gâteau sont fixées une fois pour toutes.

Une troisième attitude empêche les négociateurs de proposer davantage de bonnes solutions : ils sont convaincus qu'il n'y a, de toute façon, que deux solutions possibles et contradictoires — ou c'est l'un qui emporte l'enjeu ou c'est l'autre. La négociation leur apparaît par hypothèse un jeu où la somme à gagner est fixée une fois pour toutes, où par conséquent 100 dollars de plus pour l'un signifient 100 dollars de moins pour l'autre. Pourquoi dès lors se donner la peine de réfléchir si ce qui avantage l'une des parties, à l'évidence désavantagera l'autre ?

L'idée que les difficultés de l'adversaire ne regardent que lui.

Le négociateur préoccupé de ses seuls intérêts a une attitude qui ne lui permet pas d'imaginer des solutions satisfaisantes ; s'il veut aboutir à un accord qui serve ses propres intérêts, il doit élaborer une proposition qui serve également ceux de son adversaire. En outre, si un aspect de la question le touche personnellement, il aura plus de mal à prendre le recul indispensable pour mettre au point des solutions acceptables par la communauté. « On a assez de difficultés de notre côté, qu'ils s'occupent du leur ! » De nombreux négociateurs sont également incapables d'accorder la moindre légitimité aux opinions de leur adversaire ; trouver un moyen de conciliation leur semblerait même pure trahison.

Cette attitude égoïste et peu perspicace ne peut les amener qu'à prendre des positions partisanes qu'ils défendent avec des arguments partiaux pour aboutir à des solutions à sens unique.

ORDONNANCE

Pour inventer des solutions originales, il faudra : (1) dissocier l'invention et la décision ; (2) donner libre cours à son imagination pour découvrir les possibles au lieu de chercher une seule réponse ; (3) rechercher un bénéfice mutuel ; (4) aider l'adversaire à prendre sa décision.

Nous traitons chacun de ces points dans les paragraphes suivants.

Dissocier l'invention et la décision.

Puisque le jugement coupe court à l'imagination, il faut séparer l'acte créateur de l'acte critique, imaginer un éventail de possibilités avant de choisir celle qui conviendra. Il faut inventer d'abord pour décider ensuite.

Un négociateur doit obligatoirement faire preuve d'imagination mais ce n'est pas toujours facile. Par définition, inventer des idées nouvelles suppose que l'on est capable de se représenter des choses que l'on ne connaît pas. Il serait donc souhaitable d'organiser une séance d'invention ou de remue-méninges avec quelques collègues ou amis.

Cette technique amène les participants à imaginer le plus de solutions possibles à la question posée. Sa règle de base est de bannir tout esprit critique et tout jugement qui freineraient l'imagination. Le groupe se contente d'inventer sans du tout se demander si ce qu'il invente est bon ou mauvais, réalisable ou pas ; une idée en entraîne une autre comme un pétard dans une boîte en fait éclater un autre.

On ne doit pas craindre d'être taxé de folie puisque le propre d'une séance de remue-méninges est de lâcher la bride à l'imagination ; en outre, en l'absence de l'adversaire, nul n'aura le souci de ne pas dévoiler des informations secrètes ou de voir ses idées prises pour des engagements sérieux. Il n'y a pas une manière idéale de mener une telle séance. Chacun, selon ses besoins et ses moyens, élaborera sa propre méthode. On pourra néanmoins juger utile de suivre le modèle suivant :

Avant la séance.

1. *En définir le but* : que cherche-t-on à obtenir en organisant cette réunion ?

2. *Choisir peu de participants* : pour que l'échange soit réellement enrichissant, il ne faut pas que les participants soient moins de cinq. Mais s'ils sont plus de huit, ils risquent de ne pas pouvoir donner libre cours à leur imagination.

3. *Changer l'environnement* : il faut choisir un moment et un lieu qui rendent l'atmosphère de la séance nettement différente de celle des réunions habituelles. Plus une séance de remue-méninges se détache d'une séance ordinaire, plus il est facile de rompre avec l'esprit critique.

4. *Créer une atmosphère cordiale et détendue* : que faire pour que tout le monde parvienne à se détendre ? Les uns se réuniront autour d'un verre, les autres préféreront aller dans une résidence secondaire située dans un endroit pittoresque, d'autres encore retireront tout bonnement leur cravate et leur veste et s'appelleront par leur prénom.

5. *Choisir un animateur* : il faut que quelqu'un anime la séance ; son rôle est de maintenir la discussion dans ses limites, de veiller à ce que chacun puisse prendre la parole, d'exiger le respect des règles fondamentales et de relancer la discussion en posant des questions.

Pendant la séance.

1. *Faire asseoir les participants côte à côte* de façon qu'ils soient en face de la question posée. L'attitude physique renforce l'attitude psychologique. Le fait d'être

assis côte à côte aidera les participants à se montrer coopératifs face à un problème commun. Quand on est face à son interlocuteur, on a tendance à répondre personnellement, on engage un dialogue ou un débat ; en revanche, des gens assis en demi-cercle face à un tableau seront plus en mesure de rechercher des solutions à la question proposée.

2. *Établir clairement les règles fondamentales, y compris celle interdisant toute espèce de critique* : si les participants ne se connaissent pas, on doit commencer par les présenter puis on exposera brièvement les règles fondamentales. La critique négative est interdite en tout cas.

L'invention en commun est plus fructueuse que l'invention individuelle parce que chacun pris à part n'invente que dans les limites de ses propres hypothèses de travail. Si l'on tire à vue sur les idées qui ne font pas l'unanimité, on cherchera le moyen d'avancer des idées sur lesquelles personne ne tirera à vue. En revanche, si l'on encourage les idées non conformistes, même les plus saugrenues, le groupe pourra, à partir de ces idées, mettre au point des solutions qui, elles, seront réalisables et que personne n'aurait pu envisager auparavant.

On peut également s'interdire d'enregistrer la séance et s'abstenir d'attribuer la paternité des idées à aucun des participants.

3. *Remue-méninges* : une fois que le but de la réunion est clair pour tout le monde, il faut laisser aller son imagination, essayer de trouver un grand nombre d'idées en abordant la question par tous les angles concevables.

4. *Enregistrer les idées à la vue de tous* : inscrire les idées énoncées sur un tableau, ou mieux encore sur de grandes feuilles de papier format journal, permet de faire toucher

du doigt le travail collectif, renforce l'interdiction de la critique, réduit la tendance à la répétition, et constitue un stimulant pour la venue d'autres idées.

Après la séance.

1. *Mettre en vedette les idées les plus prometteuses* : après la séance on doit lever l'interdiction de la critique afin de faire un premier tri parmi les idées les plus prometteuses. On n'en est pas encore au stade de la décision ; on se contente de choisir les idées qui méritent d'être poussées plus loin ; on souligne celles qui plaisent le plus aux membres du groupe.

2. *Creuser les idées les plus prometteuses* : il faut sélectionner une idée, la creuser, la rendre réalisable et inventer les moyens de la mettre à exécution. A ce stade du travail, il faut souligner les qualités de l'idée autant que l'on peut, chapeauter une critique constructive par « Ce qui me plaît le plus, c'est... peut-être serait-elle mieux si... ».

3. *Fixer un rendez-vous* : avant de se séparer, on doit établir une liste des idées sélectionnées et améliorées au cours de la séance ; on fixera une date à laquelle on aura choisi et développé celles que l'on aura retenues pour la négociation.

Envisager une séance de remue-méninges avec la partie adverse. Bien qu'une séance de remue-méninges soit plus malaisée avec les membres de la partie adverse qu'avec ses partenaires, on en retire un grand profit. On court évidemment le risque de dire quelque chose qui porte préjudice à ses propres intérêts malgré le règlement établi ; on peut révéler, sans y prendre garde, une information confidentielle ou voir l'adversaire prendre pour une proposition ferme une simple idée en l'air. Malgré tout, ces séances communes présentent l'énorme avantage de susciter des solutions qui prennent en compte les intérêts de tous ceux qui sont impliqués dans la négociation, de créer une atmosphère de cordialité dans la recherche d'une entente et d'instruire l'ensemble des négociateurs des conceptions particulières de chacun.

Afin d'éviter tout risque de confusion en organisant une séance avec la partie adverse, on aura soin d'établir très nettement la distinction avec les séances normales de la négociation au cours desquelles chacun expose son point de vue officiel et dûment enregistré. Les gens ont tellement l'habitude de se rencontrer dans le but d'aboutir à un accord qu'il faut expressément leur faire savoir que tel n'est pas l'objet de la séance de remue-méninges.

On peut aussi, afin d'éviter que l'adversaire ne prenne une idée en l'air pour une offre sérieuse, avancer deux solutions à la fois ou faire des propositions manifestement loufoques : « Et si je vous laissais la maison pour rien... à moins que vous ne m'en offriez un milliard... ou bien... » Le manque de sérieux évident des deux premières propositions interdit à l'adversaire d'envisager différemment celle qui suit.

Pour avoir un avant-goût de ce qui se passe au cours d'une séance de remue-méninges à laquelle participent les deux parties ensemble, supposons que les délégués syndicaux rencontrent l'équipe directoriale d'une mine de charbon. La question qui se pose est la diminution du nombre des grèves sans préavis d'une ou deux journées. Dix personnes — cinq de chaque camp — sont réunies en demi-cercle autour d'une table face à un tableau noir. Un animateur neutre interroge les participants et inscrit les idées énoncées.

ANIMATEUR : Bon ! Voyons les idées qui nous viennent pour régler cette question des arrêts de travail sans préavis. On va essayer d'inscrire dix idées en cinq minutes. D'accord ? On y va ! Tom ?

TOM (SYNDICAT) : Les chefs d'équipe doivent être habilités à régler sur-le-champ la revendication d'un ouvrier syndiqué.

ANIMATEUR : C'est noté ! Jim, tu as levé le doigt ?

JIM (DIRECTION) : Un ouvrier doit s'expliquer avec son chef avant de se lancer dans une action...

TOM (SYNDICAT) : Ils le font, mais les chefs d'équipe ne les écoutent pas !

ANIMATEUR : Pas de critique, Tom, s'il te plaît ! Nous sommes bien d'accord, la critique c'est pour plus tard ! D'accord ? Et toi, Jerry ? Tu as l'air d'avoir une idée...

JERRY (SYNDICAT) : Dès qu'il est question d'une grève, on doit laisser les ouvriers se réunir dans le local des douches.

ROGER (DIRECTION) : La direction pourrait envisager de laisser ce local à la disposition du syndicat pour y tenir ses séances. On fermerait les portes pour assurer le secret des réunions, et on interdirait aux chefs d'équipe d'y venir.

CAROL (DIRECTION) : Et si on adoptait une loi pour qu'avant tout déclenchement de grève ait lieu sur-le-champ une rencontre entre les délégués syndicaux et la direction.

JERRY (SYNDICAT) : On pourrait accélérer la présentation des revendications. On convoquerait une réunion dans les vingt-quatre heures après le moment où le chef d'équipe et l'ouvrier n'auraient pas pu régler la question eux-mêmes.

KAREN (SYNDICAT) : Oui ! et on organiserait des cours de formation pour que les ouvriers et les chefs d'équipe apprennent à traiter leurs problèmes ensemble.

PHIL (SYNDICAT) : Si un ouvrier fait du bon boulot, faut le lui dire !

JOHN (DIRECTION) : Il faut établir des relations amicales entre les cadres et les membres du syndicat.

ANIMATEUR : Bonne idée, John, mais tu peux préciser un peu ?

JOHN (DIRECTION) : Bon, on pourrait organiser une équipe

mixte de foot, avec des joueurs du syndicat et des joueurs de la direction.

TOM (SYNDICAT) : Et une équipe de basket également !

ROGER (DIRECTION) : Si on organisait chaque année un pique-nique monstre où toutes les familles pourraient venir ?

... Et ainsi de suite jusqu'à épuisement des idées. La plupart d'entre elles n'auraient jamais vu le jour sans cette séance de remue-méninges, et quelques-unes seront peut-être susceptibles de réduire le nombre des grèves sans préavis. Participer à une séance de ce type est certainement une des meilleures façons d'utiliser son temps dans une négociation.

Mais que l'on organise des séances de remue-méninges ensemble ou non, il est en tout cas essentiel de séparer le moment d'imaginer des solutions du moment de choisir parmi elles. Il n'y a rien de commun entre la discussion sur des possibilités de règlement et la prise de position. Là où la position de l'un entrera en conflit avec celle de l'autre, des propositions en susciteront de nouvelles ; on ne s'exprime pas de la même façon, on interroge au lieu d'affirmer, on est ouvert au lieu d'être borné : « Voici ce qui pourrait convenir... A quoi avez-vous pensé ?... Et si l'on se mettait d'accord sur... ? Et si on projetait ceci, comment cela marcherait-il ? Qu'est-ce qui n'irait pas là-dedans ? »

Il faut inventer avant de décider.

Élargir le champ des possibles.

Même avec les meilleures intentions du monde, les participants d'une séance de remue-méninges peuvent travailler selon l'hypothèse qu'ils sont en fait à la recherche de LA bonne réponse, comme s'ils retiraient brin à brin la paille d'une botte pour trouver l'aiguille.

A ce stade de la négociation, on ne cherche pourtant pas encore le bon chemin ; on est en train d'aménager l'espace dans lequel prendra place la négociation, et cet espace, on ne pourra le construire qu'avec une foule d'idées nettement différenciées — les deux parties en présence pourront bâtir plus tard leurs discussions sur ces idées et opérer ensemble un choix pour prendre leur décision.

Les œnologues savent que les grandes cuvées sont faites du choix minutieux de raisins différents. Une équipe de football qui recherche des joueurs vedettes enverra des découvreurs de talents passer au peigne fin les équipes locales et universitaires du pays. Le même principe régit une négociation. Le secret pour arriver à une décision judicieuse, qu'il s'agisse de vin, de base-ball ou de négociation, c'est d'avoir le choix entre une multitude de possibilités différentes.

Si l'on devait désigner le futur lauréat du prix Nobel de la paix, il faudrait dire avant toute chose : « Laissez-moi réfléchir ! » ; on établirait ensuite une liste d'une centaine de candidats possibles — diplomates, hommes d'affaires, journalistes, religieux, magistrats, paysans, politiciens, universitaires, médecins et autres — pour être sûr de laisser voguer son imagination ; on aurait alors certainement plus de chances de faire un choix judicieux qu'en essayant de faire le bon choix dès le début.

La séance de remue-méninges permet au négociateur de réfléchir sans entraves aux questions qu'il doit résoudre, et c'est cette liberté d'esprit qui le mettra à même d'imaginer des solutions constructives.

Multiplier les choix par des allées et venues entre le particulier et le général : la carte en rond. Pour inventer des solutions, on utilise quatre démarches différentes : (1) la réflexion sur une question particulière — telle situation qui nous préoccupe comme la pollution d'un cours d'eau qui traverse nos domaines. (2) La description analytique — on établit un diagnostic de la situation en termes généraux puis on série les questions qui se posent en tentant d'en établir les causes : la concentration des effluents est-elle trop forte dans l'eau ? Est-ce l'oxygène qui manque ? Diverses installations industrielles situées en amont sont-elles responsables ? (3) L'examen, lui aussi en termes généraux, des mesures qu'il y aurait lieu de prendre. Étant donné le diagnostic, on recherche les remèdes que suggère la seule théorie : réduire la quantité des produits nocifs rejetés, diminuer la quantité d'eau prélevée par les différentes installations industrielles, amener de l'eau fraîche en détournant un autre cours d'eau. (4) La présentation d'un certain nombre de suggestions précises et réalisables. Qui a le pouvoir de mettre à exécution dès demain une de ces suggestions ? Un organisme gouvernemental de l'environnement pourrait donner l'ordre à telle industrie de limiter la quantité des produits chimiques qu'elle déverse en amont de nos terres.

La carte en rond symbolise ces quatre types de pensée qui s'enchaînent à la suite les uns des autres. Si tout marche bien, la solution précise que l'on a inventée grâce à cette technique réglera, une fois adoptée, la question initiale.

Grâce à cette carte en rond, on arrive aisément à utiliser une bonne idée pour en produire d'autres. Si l'on dispose d'une seule idée, contenant une proposition utilisable, on

Carte en rond

Les quatre étapes fondamentales pour inventer des solutions :

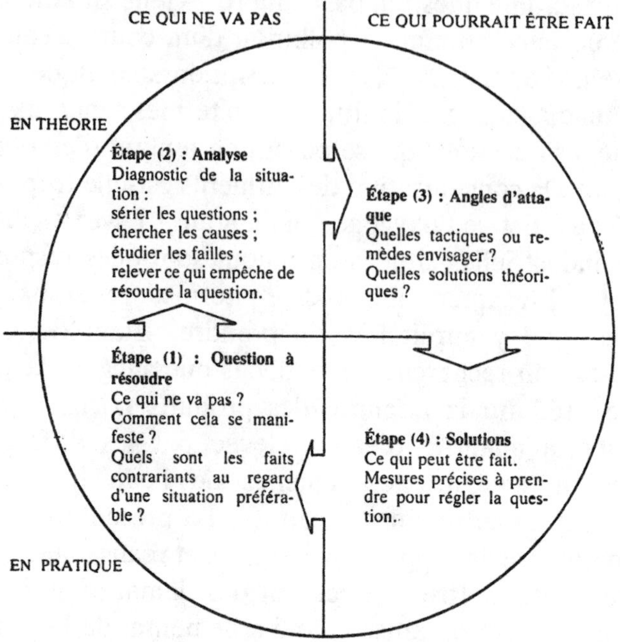

peut (seul ou avec le groupe au cours de la séance de remue-méninges) revenir en arrière et tenter d'établir le cadre général dont la proposition est, après tout, une simple application. On a, dès lors, la faculté d'imaginer d'autres propositions appliquant les mêmes principes généraux au monde de la réalité. On peut également retourner une case en arrière et se demander : « Puisque cette façon d'aborder la question s'avère utile dans la théorie, que peut-on en penser ? Comment l'analyser ? » Après avoir établi le diagnostic, on peut imaginer d'autres manières de régler la question analysée ainsi, pour rechercher ensuite les solutions à partir de ces nouveaux angles d'attaque.

On voit donc qu'il suffit d'une seule proposition pour découvrir la théorie sur laquelle elle repose et pour utiliser cette théorie afin d'inventer de nouvelles propositions. Un exemple rendra plus vivant ce mécanisme.

Dans les négociations en Irlande du Nord, on aurait pu avoir l'idée de faire rédiger par les professeurs catholiques et protestants un manuel d'enseignement de l'histoire du pays à l'usage des classes primaires des deux confessions. L'ouvrage présenterait des points de vue différents de l'histoire et offrirait aux enfants la possibilité de s'exercer à jouer eux-mêmes le rôle d'un autre peuple en se mettant à sa place.

Pour produire de nouvelles idées, on pourrait commencer avec cette première proposition et rechercher ensuite la théorie qui a permis de la présenter. Peut-être trouverait-on une proposition générale du genre :

« Les deux systèmes scolaires pourraient avoir des matières communes d'enseignement. »

« Catholiques et protestants devraient travailler ensemble sur des projets limités et par conséquent faciles à mettre en œuvre. »

« Il faudrait créer un climat de compréhension entre les enfants avant qu'il ne soit trop tard. »

« L'enseignement de l'histoire devrait mettre en lumière les sensibilités partisanes. »

Disposant d'une telle théorie, on sera peut-être en mesure d'inventer d'autres propositions, par exemple un projet de film réalisé en commun par des catholiques et des protestants présentant l'histoire de l'Irlande du Nord sous des angles différents. On pourrait également penser à un échange de professeurs, ou à des classes communes pour les élèves du primaire des deux communautés.

Examiner la question du point de vue de spécialistes de différentes disciplines. On multiplierait les possibles en examinant la question du point de vue de spécialistes de professions et de disciplines différentes. Imaginons qu'on est à la recherche de solutions acceptables pour régler une controverse à propos de la garde des enfants dans un divorce. Pourquoi ne pas envisager successivement la question du point de vue d'un éducateur, d'un banquier, d'un psychiatre, d'un juriste, d'un prêtre, d'un diététicien, d'un médecin, d'une militante féministe, d'un sportif, ou de toute autre personne susceptible d'apporter une opinion particulière ?

De même, pour la négociation d'un contrat d'affaires, il faudra chercher à imaginer les solutions qui pourraient venir à l'esprit d'un banquier, d'un ingénieur, d'un député socialiste, d'un spéculateur foncier, d'un agent de change, d'un économiste, d'un expert fiscal et d'un responsable syndical.

On peut aussi combiner l'utilisation de la carte en rond avec cette recherche du point de vue de divers spécialistes. On examinera successivement le diagnostic que chacun porterait sur la situation, les mesures qu'ils suggéreraient et les solutions pratiques qui pourraient en découler.

Inventer des solutions de portée différente. On peut toujours multiplier le nombre des accords possibles en imaginant diverses solutions intermédiaires qu'on gardera sous le coude pour le cas où l'accord souhaité se révélerait hors d'atteinte. Si l'on ne peut trouver de solution au différend lui-même, peut-être pourra-t-on s'entendre sur une procédure. Si les représentants d'une usine de chaussures et d'un grossiste ne peuvent tomber d'accord parce que ni les uns ni les autres ne veulent prendre à leur charge le prix du transport des articles endommagés, ils accepteront peut-être en revanche de soumettre leur litige à un arbitrage. De même, si un accord permanent se révèle impossible, on envisagera de signer un accord provisoire. Enfin, si l'on n'est pas en mesure de parvenir à un accord de premier ordre, on pourra, au moins, parvenir à un accord de deuxième ordre — c'est-à-dire que les parties en présence seront au moins d'accord sur le sujet du différend — et connaître ainsi les questions conflictuelles qui ne sont pas toujours évidentes.

Les couples de termes de la liste suivante qualifient les différentes portées des accords que l'on peut signer éventuellement :

PORTÉE PLUS FORTE	PORTÉE PLUS FAIBLE
sur le contenu	sur la procédure
permanent	provisoire
total	partiel
définitif	de principe
sans conditions	sous conditions
contraignant	facultatif
premier ordre	deuxième ordre

Changer le champ d'application d'une proposition. Il faut envisager de changer non seulement la portée de l'accord mais encore son champ d'application. Par exemple, on fractionnera la question en questions plus limitées et par conséquent plus faciles à traiter. Un écrivain pourrait proposer à un correcteur éventuel de son livre : « Si on se mettait d'accord pour que vous prépariez les deux premiers chapitres pour 300 dollars et qu'on attende de voir comment ça marche ? » On peut conclure des accords partiels, ponctuels, ne portant que sur un nombre de sujets choisis, ne couvrant qu'une superficie de territoire donnée, ou ne demeurant valides qu'un temps limité.

On obtiendra également de bons résultats en essayant de donner plus d'ampleur au sujet du différend, en arrondissant les angles de manière à rendre la proposition plus séduisante. L'Inde et le Pakistan, opposés sur la question des eaux de l'Indus, firent un pas appréciable vers un règlement quand la Banque mondiale intervint dans la discussion ; les deux pays rivalisèrent d'imagination pour élaborer de nouveaux projets d'irrigation, de barrages de retenue et autres travaux publics dont ils seraient bénéficiaires ensemble, grâce à l'aide de la Banque mondiale.

Rechercher un bénéfice mutuel.

On croit que le « gâteau » a des limites fixées une fois pour toutes — plus ma part est grande, plus la tienne est petite —, cette hypothèse constitue le troisième obstacle capital à l'invention de solutions originales, bien que rares soient les situations où elle s'avère juste. Premièrement, les parties en présence peuvent toujours terminer plus mal qu'elles n'ont commencé. On pourrait croire que les échecs sont un jeu sans mystère : l'un perd et l'autre gagne, mais si un chien trottinant à côté de la table la bouscule et renverse les verres de bière, il laisse les deux joueurs en plus mauvaise posture qu'ils n'étaient auparavant. Or, sans même parler de l'intérêt évident que l'on a à éviter les pertes communes, il existe presque toujours une possibilité de gagner quelque chose ensemble, ne serait-ce par exemple qu'une relation plus satisfaisante pour les deux parties, voire la satisfaction des intérêts de chacun par l'adoption d'une solution astucieuse.

Apprendre à reconnaître les intérêts communs. En théorie, il apparaît à l'évidence que le fait de partager certains intérêts avec l'adversaire ne peut qu'aider à la recherche d'un accord. Par définition, une solution qui permet de satisfaire des intérêts partagés est aussi agréable à l'un qu'à l'autre des deux camps en présence. Dans la pratique, les choses sont hélas ! moins claires. Quand deux personnes se battent autour d'un prix, les intérêts qui leur sont communs risquent de leur échapper. Dans ces conditions, comment s'appuyer sur ces intérêts pour résoudre le différend ?

Un exemple nous permettra de mieux comprendre. Imaginons le directeur d'une raffinerie de pétrole que nous baptiserons la Townsend Oil. Elle est implantée à Pageville, localité dont le maire, en mal de liquidités, a décidé de doubler les impôts que l'entreprise acquitte chaque année. La direction estime que le million qu'elle payait jusqu'alors est bien suffisant et a fait connaître son point de vue à la municipalité. Les choses en sont là : le maire a besoin d'augmenter les ressources de son administration, l'entreprise se refuse à payer plus que par le passé. Dans cette négociation exemplaire à maints égards, comment les intérêts partagés entrent-ils en jeu ?

Examinons de plus près les désirs du maire. Il lui faut de l'argent — certes pour couvrir certaines dépenses municipales, construire une maison des jeunes, par exemple, mais aussi pour soulager le contribuable moyen. Mais la ville ne peut évidemment recevoir de la seule Townsend Oil tout l'argent dont elle a besoin et dont elle aura besoin dans l'avenir. Il va donc lui falloir imposer aussi l'usine de pétrochimie installée en face de votre entreprise, par exemple, et, dans l'avenir, les industries nouvelles qui viendront s'installer, voire les anciennes qui voudraient s'agrandir. Industriel lui-même, le maire voudrait aussi encourager le développement industriel dans sa région et attirer de nouvelles entreprises créatrices d'emplois et sources de revenus nouveaux pour la municipalité.

Quels sont les intérêts de la Townsend ? Étant donné les progrès rapides des techniques de raffinage, la direction envisage de rénover ses installations déjà anciennes et d'en profiter pour les agrandir considérablement. Elle peut donc redouter une réévaluation plus importante encore que celle proposée par la municipalité, une fois que ce projet aura été réalisé. D'un autre côté, elle a encouragé l'installation d'une usine de matières plastiques au voisinage de sa propre entreprise et craint que ce futur partenaire ne reconsidère son projet en apprenant que la ville est sur le point d'augmenter les charges des industriels.

On commence à entrevoir les intérêts communs à la municipalité et à la direction de la Townsend. L'une et l'autre sont d'accord pour souhaiter le développement industriel et encourager l'implantation d'entreprises nouvelles. La recherche d'une solution qui prenne en compte ces intérêts partagés n'est plus qu'une question d'imagination : pourquoi ne pas instaurer une exemption d'impôts de sept ans pour les entreprises qui choisiraient de s'implanter sur le territoire de la commune ? Lancer une campagne publicitaire, en collaboration avec la chambre de Commerce, pour attirer des industries nouvelles ? Proposer un dégrèvement pour les entreprises existantes mais qui voudraient s'étendre ? Toutes idées qui pourraient à la fois représenter une économie substantielle pour la Townsend Oil tout en remplissant les coffres de la ville. Si au contraire la négociation échouait et que les relations entre la ville et l'entreprise s'envenimaient, les deux camps y perdraient. L'une pourrait renforcer considérablement les contraintes réglementaires qui pèsent sur les industries et refuser systématiquement les permis de construire, et l'autre réduire ses contributions bénévoles aux œuvres sociales et à l'entretien des équipes et installations sportives par exemple. Les rapports entre dirigeants politiques et responsables économiques se dégraderaient. Or, nous l'avons dit, il est fréquent que les relations entre les parties en présence, que l'on a tendance à négliger, les considérant comme un fait acquis, constituent un enjeu plus important que la résolution d'une querelle particulière.

Un négociateur a presque toujours intérêt à rechercher des solutions qui satisfassent son adversaire autant qu'il est possible. Le propriétaire d'un magasin ne gagne rien quand un de ses clients estime avoir été trompé en achetant chez lui ; non seulement il risque de perdre un client, mais la réputation de sa maison peut également en souffrir. Une solution dont l'une des parties ne retire aucun profit n'est pas aussi bonne que celle qui la laisse bien disposée à l'égard de son adversaire. La satisfaction que l'on retire personnellement d'un accord est à la mesure de la satisfaction qu'éprouve l'adversaire à vouloir le mettre en pratique.

Trois points concernant les intérêts communs méritent d'être soulignés. Premièrement, des intérêts communs sous-tendent toute négociation, même s'ils ne sautent pas aux yeux. Il faut se demander : « Avons-nous tous les deux intérêt à préserver notre relation ? Comment pourrait-on travailler ensemble et en tirer profit l'un et l'autre ? Quelles seraient les conséquences d'un échec des négociations ? » Deuxièmement, les intérêts communs ne sont pas des dons du ciel, mais des occasions à saisir : il faut être effectivement capable de les saisir pour qu'ils soient vraiment efficaces. Il faut apprendre à les reconnaître et considérer leur satisfaction comme un *but* à poursuivre en commun avec la partie adverse ; il faut, en d'autres termes, les concrétiser et les prendre comme objectifs. Par exemple, le maire et le directeur de la raffinerie pourraient se fixer comme objectif commun d'attirer cinq nouvelles industries à Pageville dans les trois ans à venir. Le maire, de ce fait, ne pourrait plus considérer comme une concession l'exemption d'impôts consentie aux nouvelles industries : ce serait une mesure qui s'inscrirait dans la ligne adoptée. Troisièmement, en mettant l'accent sur une communauté d'intérêts, on a des chances de participer à une négociation qui se déroulera sans heurts et dans un climat plus amical. Dans un canot de sauvetage perdu en plein océan, deux naufragés disposant de rations de vivres limitées devront cesser de se disputer au sujet de la nourriture pour concentrer leurs efforts sur l'objectif commun : gagner le rivage.

Rendre les intérêts divergents complémentaires. Revenons encore une fois aux deux enfants qui se disputaient une orange. Ils la voulaient tous les deux, aussi la partagèrent-ils, sans comprendre que l'un désirait seulement manger la pulpe tandis que l'autre avait besoin de la peau pour parfumer un gâteau. Dans cette affaire, semblable en cela à beaucoup d'autres, un accord avantageux était possible puisque chacun désirait une chose différente. Si l'on y réfléchit bien, c'est une constatation de première importance. Les gens, en effet, s'imaginent habituellement que ce sont les différences qui créent les conflits ; et pourtant, elles peuvent aussi ouvrir la voie aux solutions. Il est fréquent qu'un accord soit fondé sur un désaccord. Il serait absurde de prétendre que l'on peut toujours commencer par l'accord. C'est comme si un agent de change essayait de convaincre un vendeur que ses actions vont monter. S'ils sont d'accord pour pronostiquer la hausse, le vendeur ne se défera certainement pas de ses actions. Ce qui rend l'affaire possible, c'est que l'acheteur croit la tendance à la hausse et le vendeur à la baisse. La divergence d'estimation sert de point d'appui au marché.

Maints accords novateurs découlent du principe selon lequel on aboutit à un accord grâce aux différences. Des différences dans les besoins et les convictions permettent, sur un point donné, de conclure un accord dont l'un des adversaires tire un grand profit sans pour autant qu'il en coûte très cher à l'autre. Aux États-Unis, une célèbre comptine dit ceci :

Jack Sprat n'aimait pas le gras
Sa femme détestait le maigre
Et à eux deux
Ils vidaient tous les plats.

Les différences qui se prêtent le mieux à un accord sont celles qui portent sur les préoccupations, les croyances, la valeur accordée au temps, les pronostics et la peur du risque.

Différences dans les préoccupations : nous recensons dans la liste suivante un certain nombre de différences courantes.

L'un se préoccupe plus de	*L'autre se préoccupe plus de*
procédure	contenu
considérations économiques	considérations politiques
considérations intérieures	considérations extérieures
considérations symboliques	considérations pratiques
court terme	long terme
résultats de l'affaire en cours	relations
questions matérielles	idéologie
progrès	respect de la tradition
jurisprudence	affaires en question
réputation	résultats
questions politiques	bien-être du groupe

Différences dans les croyances : les deux adversaires sont convaincus l'un et l'autre d'avoir raison : ils peuvent tirer parti de cette différence dans leur conviction et se mettre d'accord pour recourir à l'arbitrage d'une personne neutre. Quand, au sein d'un même syndicat, des dirigeants s'affrontent sans arriver à se mettre d'accord sur un projet de salaire, ils peuvent s'entendre pour que la question soit tranchée par un vote de leur base.

Différences dans la valeur accordée au temps : l'un se préoccupe du présent, l'autre de l'avenir. Dans les milieux d'affaires on dit qu'ils escomptent l'avenir à des taux différents — la vente à tempérament, le crédit, fonctionnent sur ce principe : l'acheteur acceptera de payer plus cher sa voiture à condition de la payer plus tard ; le vendeur acceptera un paiement différé s'il en tire un meilleur prix.

Différences dans les pronostics : prenons, par exemple, une négociation de salaire entre une vedette de football et telle grande équipe de première division. Le joueur escompte bien marquer de nombreux buts, alors que le président du club est enclin à croire le contraire parce que le joueur est en fin de carrière. Ils peuvent profiter de cette différence dans leurs prévisions pour se mettre d'accord sur un salaire de base de 750 000 dollars plus une prime d'un montant donné par but marqué.

Différences dans la peur du risque : c'est la dernière différence dont on puisse tenir compte, la peur du risque. Prenons par exemple la question de l'extraction des nodules non ferreux des fonds sous-marins, qui s'est posée au cours des négociations sur le droit de la mer : combien les entreprises d'extraction devaient-elles payer à la communauté internationale pour avoir l'autorisation de procéder à l'extraction ? Pour le moment, ces entreprises se préoccupent davantage d'éviter de grandes pertes que de réaliser des profits importants. L'extraction représente pour elles un investissement capital et elles ne peuvent pas prendre de risques. La communauté internationale, en revanche, est intéressée à la rentabilité : si une entreprise réussit à gagner des sommes considérables avec le « patrimoine de l'humanité », le reste du monde en veut sa part.

Cette différence permet aux deux parties de conclure un marché avantageux, le risque constituant la monnaie d'échange de la rentabilité. La proposition de traité exploite en effet la peur du risque puisqu'elle stipule que les entreprises concessionnaires acquitteront peu d'impôts tant qu'elles n'auront pas amorti leurs investissements — c'est-à-dire tant que le risque sera élevé —, puis des impôts beaucoup plus lourds quand le risque aura diminué.

S'enquérir des préférences de l'adversaire. Pour concilier les intérêts, on inventera plusieurs options aussi acceptables les unes que les autres et l'on demandera à l'adversaire de choisir celle qu'il préfère : on s'enquiert de ses *préférences*, on ne sollicite pas encore son *acceptation*. Quand l'adversaire aura indiqué l'option qu'il préfère, on se remettra au travail pour en proposer une ou plusieurs variantes, entre lesquelles l'adversaire sera invité à opérer un nouveau choix, et ainsi de suite. En dehors de toute décision définitive, on parvient donc à peaufiner un projet jusqu'au moment où il devient impossible d'aller plus loin. Ainsi, le représentant du joueur de football pourrait demander au président du club : « Quelle solution aurait votre préférence, un contrat d'une durée de quatre ans avec un salaire annuel de 875 000 dollars ou trois ans seulement mais avec un salaire de 1 million ? » Et quand le président aura indiqué sa préférence pour cette dernière solution : « Dans ce cas, pourquoi ne pas envisager un salaire de 900 000 sur une durée de trois ans assorti d'une prime au cas où Fernando marquerait plus de dix buts dans la saison ? »

Si l'on devait résumer l'art d'exploiter les différences en une seule phrase, nous pourrions dire : chercher les points qui procurent de grands bénéfices à l'un sans coûter cher à l'autre, et vice versa. Des différences dans les préoccupations, les priorités, les croyances, les pronostics et l'attitude face au risque, voilà tout ce qui rend un accord possible. « Vive la différence [1] », telle pourrait être la devise du négociateur.

Faciliter la tâche de l'adversaire quand il devra se prononcer.

Dans la mesure où le succès de la négociation dépend de l'adhésion de l'adversaire à une solution que l'on souhaite,

1. En français dans le texte (*NdT*).

la moindre des choses serait de lui faciliter la tâche. Au lieu de lui mettre des bâtons dans les roues, il faudrait lui proposer un choix aussi peu douloureux que possible. Convaincus du bien-fondé de leur propre position, les gens se soucient en général fort peu du fait qu'ils pourraient faire avancer les choses à leur avantage s'ils tenaient compte des intérêts de leur adversaire. A regarder de trop près ses propres intérêts immédiats, on manque de perspicacité. Pour ne pas tomber dans ce travers, il faut se mettre à la place de ceux d'en face. Si l'on ne leur propose rien de séduisant pour eux, on ne parviendra probablement à rien.

Se mettre à la place de qui ? Qui veut-on influencer ? Un négociateur isolé, un patron absent, un groupe ou une collectivité habilitée à prendre des décisions ? On ne peut pas négocier avec grand succès quand on a à faire à une abstraction comme « Houston » ou l'« Université de Californie » ! Au lieu d'essayer de convaincre « la compagnie d'assurances », il est plus sage de concentrer ses efforts de persuasion sur le responsable pour que l'initiative vienne de lui. Le mécanisme à mettre en route chez la partie adverse pour qu'une décision soit adoptée peut sembler très complexe ; mais il sera plus facile à comprendre si l'on choisit de se référer à une seule personne, par exemple celle avec laquelle on traite directement, en étudiant la question comme si on était à sa place. Concentrer son attention sur une seule personne du camp adverse n'est pas un moyen d'éluder les complications, c'est plutôt un moyen de comprendre ce que ces complications ont de contraignant pour la personne à laquelle on a à faire. On en viendra peut-être à voir son rôle de négociateur sous un nouvel aspect, à considérer que le travail consiste à donner un coup de main à l'adversaire et à lui fournir les arguments dont il pourrait se servir pour convaincre ses partenaires de poursuivre les discussions.

Un ambassadeur britannique définissait ainsi sa fonction : « J'aide mon homologue à obtenir de nouvelles instructions. » Si l'on se met vraiment à la place de son homologue, on comprendra son problème et ce qu'il convient de faire pour le résoudre.

Quelle décision ? Dans le deuxième chapitre, nous avons étudié les préoccupations de l'adversaire, en faisant l'analyse du choix tel qu'il s'offrait à lui à un moment donné de la négociation. Nous allons essayer, dans ce chapitre, de trouver les solutions qui permettraient de modifier le choix qui s'offre à lui pour qu'il puisse alors se prononcer dans le sens que nous désirons. Il ne s'agit pas de lui poser une question, mais de lui fournir une réponse : il n'aura pas de mal à prendre la décision car elle sera facile à prendre. Dans cette démarche, il est nécessaire de concentrer ses efforts sur le contenu même de la décision. Si le texte est peu clair, l'adversaire peut hésiter à se prononcer, cela arrive fréquemment.

On désire souvent obtenir le maximum sans savoir l'évaluer exactement. On dira : « Faites-moi des propositions, je vous dirai si c'est suffisant. » Cela peut sembler naturel, mais si l'on se place du point de vue de l'adversaire, on comprendra qu'il est nécessaire d'inventer une question plus séduisante. Il pensera que, quelle que soit sa réponse, elle sera considérée comme un minimum par son vis-à-vis qui exigera davantage. Et ce n'est pas en lui demandant d'« être plus arrangeant » qu'on l'incitera à prendre la décision que l'on attend de lui.

Bien des négociateurs ne savent pas très bien ce qu'ils

attendent : des paroles ou des actes ? C'est pourtant une distinction cruciale. Si l'on veut des actes, inutile d'ajouter quoi que ce soit dans le but de se ménager une « marge négociable ». Quand on veut qu'un cheval saute une haie, on ne commence pas par la surélever. Quand on a l'intention de faire vendre 75 cents des boissons non alcoolisées par un distributeur automatique, on n'affiche pas 1 dollar sur la machine pour se donner une marge de manœuvre.

Mais, la plupart du temps, ce que l'on recherche est au contraire une promesse — un accord. Dans ce cas, crayon en main, on tentera de jeter sur le papier les bases des divers accords envisageables. Il n'est jamais trop tôt dans une négociation pour entamer l'élaboration de ces ébauches qui aident à penser clairement. On préparera de nombreuses versions en commençant par la plus simple possible. On cherchera quelques formules aussi séduisantes pour la partie adverse que pour nous-mêmes. Peut-on limiter le nombre de personnes dont l'avis est nécessaire ? Peut-on rédiger un accord auquel l'adversaire pourrait souscrire facilement ? De même qu'il tiendra compte, dans son examen, des difficultés de réalisation, de même devons-nous en tenir compte.

Il est plus facile, généralement, de se retenir d'entreprendre quelque chose que de s'arrêter dans une action déjà engagée ; de même qu'il est plus facile de s'arrêter que de partir à zéro. Si, par exemple, les ouvriers d'une usine réclament de travailler en musique, il est plus facile pour la direction de laisser faire sans intervenir pendant plusieurs semaines en donnant son accord à un programme expérimental choisi par les employés eux-mêmes que d'organiser un tel programme.

La certitude de ce qui est juste est en général profondément ancrée dans les esprits ; une manière efficace de faire souscrire à des propositions sera donc de les présenter en mettant en lumière leur légitimité. L'adversaire prendra plus facilement une décision si elle lui semble convenable — convenable en termes de justice, de légalité, d'honorabilité...

Il n'est rien de tel pour faciliter une décision que de trouver un précédent. On tentera donc d'en rechercher. Quelles sont les décisions ou les déclarations que l'adversaire a faites dans des circonstances analogues ? Peut-on fonder la proposition en s'appuyant sur ces précédents ? Ils fourniront un critère objectif à la proposition et encourageront l'adversaire à poursuivre : il faut tenir compte de son désir d'être cohérent avec lui-même et, en prenant appui sur ses actes et ses déclarations passées, on trouvera sans doute des solutions acceptables pour tout le monde.

Menacer ne suffit pas. En analysant la décision que l'on voudrait voir adopter par l'interlocuteur, il faut se mettre à sa place pour étudier les conséquences auxquelles il devra faire face, et celles qu'il redoute le plus. Qu'attend-il de cette décision ?

On a souvent recours aux menaces — « Vous allez voir ce qui se passera si vous ne prenez pas la décision que je vous conseille ! » — pour influencer l'adversaire. En général, mieux vaut faire des offres. On s'efforcera d'expliquer à ceux de la partie adverse ce qu'ils ont à attendre de la proposition en discussion en en présentant les conséquences sous un jour plus séduisant. Comment donner plus de crédibilité aux offres ? Y aurait-il quelque chose qui plairait particulièrement à l'adversaire ? Aimerait-il par exemple se voir attribuer le mérite d'avoir fait la proposition finale ? Préférerait-il prononcer le discours de clôture ? Bref, que peut-on offrir de séduisant sans que cela revienne trop cher ?

Pour évaluer la proposition en se mettant à la place de l'autre, il faut imaginer quelle sorte de critiques on lui fera s'il l'approuve. On écrit une ou deux phrases que le critique le plus sévère de son camp pourrait émettre sur la décision que l'on envisage de lui présenter et ensuite une ou deux réponses en guise d'arguments de défense. Ce genre d'exercices permettra de mieux apprécier les limites à l'intérieur desquelles il est contraint de négocier ; il aide à trouver les solutions propres à servir aussi les intérêts de la partie adverse.

Enfin la proposition sera soumise au contrôle final — celui des termes dans lesquels elle est rédigée : il faut qu'elle n'appelle qu'une seule réponse « oui », un oui suffisant, réalisable et immédiatement exécutable. Si l'on suit cette méthode, on ne court plus le risque d'être obnubilé par ses propres intérêts au détriment de ceux de la partie adverse, qu'il est nécessaire de servir également.

Quand on participe à une négociation où il y a plus de deux parties en présence, il est absolument indispensable d'avoir de l'imagination. Dans la moindre discussion, c'est cette faculté qui ouvre les portes et permet de trouver de multiples solutions satisfaisantes pour tout le monde. Il ne faut donc pas hésiter à imaginer avant de faire un choix. On doit inventer d'abord pour décider ensuite. On doit apprendre à reconnaître les intérêts partagés et à concilier les intérêts divergents. Enfin, il faut aider l'adversaire à prendre sa décision.

5. Exiger l'utilisation de critères objectifs

Comprendre au mieux les intérêts de la partie adverse, faire preuve d'astuce dans l'invention de solutions qui les concilient avec les siens, estimer à sa juste valeur la poursuite des relations — rien de tout cela n'empêche qu'on finisse presque toujours par devoir affronter la dure réalité d'intérêts réellement divergents. S'il faut rejeter les méthodes des négociateurs qui jouent à la petite guerre, il convient pourtant de ne pas se dissimuler cette réalité. Le locataire désire acquitter un petit loyer, le propriétaire veut de gros revenus ; le commerçant a besoin d'être livré le lendemain, son fournisseur préfère livrer la semaine prochaine ; deux associés convoitent le même bureau, bien éclairé par une baie vitrée — autant de divergences qu'il ne faut pas passer sous silence.

Les décisions fondées sur la seule volonté sont coûteuses.

Nous avons vu qu'en cas de conflit les gens se lancent d'ordinaire dans la négociation de position — c'est-à-dire qu'ils entreprennent d'exposer ce qu'ils veulent et ce qu'ils ne veulent pas. L'un exigera des concessions sur le fond sans exposer d'autre argument que ses exigences elles-mêmes : « C'est 50 dollars, un point c'est tout. » Un autre fera une offre généreuse, dans le seul but de gagner une adhésion ou une amitié. Quand la situation se transforme en concours à qui sera le plus têtu ou le plus généreux, les discussions reposent sur la volonté de chaque partie : c'est l'interaction de la volonté de l'une et de l'autre qui détermine l'issue de la négociation. Tout se passe comme si les négociateurs vivaient sur une île déserte, sans passé, sans tradition ni aucune espèce d'échelle de valeurs.

Nous avons vu dans le premier chapitre ce qu'il en coûte d'essayer de concilier des divergences en se fondant sur la seule volonté. Il n'y a pas grand espoir que la négociation soit efficace ni amicale quand elle devient un affrontement de volontés où l'un des deux cédera en tout cas. Qu'il s'agisse de choisir un restaurant, de traiter une affaire ou de négocier pour un jugement de divorce, on n'est pas en mesure de parvenir à un accord judicieux si l'on ne se fonde pas sur un critère objectif.

Puisque le règlement de conflits d'intérêts basé sur la volonté revient si cher, il faut négocier sur une base *indépendante* de la volonté des parties en présence — c'est-à-dire sur la base d'un critère objectif.

En quelles circonstances utiliser un critère objectif ?

Supposons que M. Durand fasse construire une maison. Le contrat qu'il a signé avec l'entreprise de construction est un contrat à prix fixe et stipule que les fondations seront coulées en béton armé sans toutefois en préciser la profondeur.

Maintenant supposons que l'entrepreneur dise : « Quand vous m'avez demandé de mettre des poutres d'acier pour le toit, j'ai accepté. C'est à vous maintenant de me laisser creuser des fondations moins profondes. » Aucun propriétaire sensé ne céderait en pareil cas. Plutôt que de se laisser entraîner dans ce genre de maquignonnage, mieux vaudrait insister pour trancher la question en s'appuyant sur des critères objectifs de sécurité : « Écoutez, je peux me tromper, peut-être que les 60 centimètres que vous proposez sont suffisants. Tout ce que je veux, c'est que les fondations soient solides et assez profondes pour supporter sans danger la construction. Est-ce qu'il n'y a pas une réglementation officielle précisément pour ce type de terrain ? Quelle est la profondeur des fondations des immeubles de cette zone ? Quels sont les risques de tremblements de terre par ici ? Où pensez-vous que l'on devrait s'adresser pour obtenir les normes qui nous permettraient de trancher ? »

On a autant de mal à rédiger un bon contrat qu'à construire de bonnes fondations ! S'il est bon de s'appuyer sur des critères objectifs lors d'une discussion entre un propriétaire et un entrepreneur, pourquoi n'en serait-il pas de même dans le domaine des contrats industriels, des négociations salariales, des accords juridiques et des traités internationaux ? Quand il est question de fixer un prix, par exemple, pourquoi ne pas prendre pour point d'appui dans la discussion des critères tels que la valeur du marché, les coûts de remplacement, le taux d'amortissement ou les prix pratiqués par la concurrence, plutôt que la seule exigence du vendeur ?

Bref, il s'agit d'essayer de trouver une solution conforme à des principes, en dehors de toute pression. Il faut fixer son attention sur les points forts de la question de fond et non sur les points d'honneur des participants, ouvrir son esprit à la raison et le fermer aux menaces.

La négociation raisonnée produit des accords judicieux, efficaces et conclus à l'amiable. Plus on aura fait intervenir de critères objectifs d'équité, d'efficacité ou de valeur scientifique pour juger d'une question donnée, plus on aura de chances d'aboutir à un accord équitable et judicieux. Plus on s'appuie sur la jurisprudence ou sur les traditions, mieux on tire profit des expériences du passé, sans oublier qu'il est plus difficile d'attaquer un accord conclu conformément à un précédent. Le négociateur qui aura apposé sa signature sur un contrat type de bail ou sur un contrat d'achat conforme aux lois en vigueur dans l'industrie intéressée ne pourra ni se sentir floué ni être tenté de revenir sur son accord par la suite.

L'épreuve de force perpétuelle compromet les relations existantes ; la négociation raisonnée les protège. Il est bien plus agréable de traiter avec des gens qui s'appuient sur des critères objectifs pour régler un conflit en discutant en toute impartialité qu'avec des gens qui essaient de s'imposer des concessions les uns aux autres. Quand on fonde sa discussion sur des critères objectifs, chaque partie n'est plus obligée de faire autant de compromis, quitte à les défaire ensuite, pour parvenir à un accord. Dans la négociation classique, les gens perdent un temps considérable à défendre leurs positions et à attaquer celles de la partie adverse ; les négociateurs qui utilisent un critère objectif consacrent plutôt leur temps à discuter efficacement de critères et de solutions éventuellement acceptables.

Quand les parties en présence sont nombreuses, l'efficacité des critères indépendants apparaît plus clairement encore. Dans ces conditions la négociation classique se révèle quasi impossible ; elle suscite la formation de coalitions, et plus il y a de parties concernées par une position, moins il est aisé d'obtenir un changement. Il en va de même si chaque négociateur est le représentant d'un groupe ou doit justifier la position qu'il a prise auprès de plus hautes instances. L'adoption d'une position puis ensuite son abandon sont l'objet d'un travail lent et difficile.

Pour illustrer notre propos sur les critères objectifs, voici un épisode de la Conférence sur le droit de la mer. L'Inde, représentant le bloc du Tiers Monde, proposa à un moment donné la somme de 60 millions de dollars, montant de l'impôt initial que chaque compagnie d'extraction devrait acquitter pour tout emplacement exploitable. Les États-Unis rejetèrent cette proposition, condamnant quant à eux l'idée d'un impôt initial. Les deux parties durcirent leurs positions et l'affaire se transforma en un affrontement de volontés.

C'est alors que quelqu'un s'avisa que le Massachusetts Institute of Technology (MIT) avait mené une étude approfondie sur l'économie de l'extraction des nodules non ferreux ; cette étude, dont les deux parties finirent par reconnaître l'objectivité, permettait d'évaluer les conséquences du paiement d'un impôt initial sur l'organisation économique de l'exploitation des fonds sous-marins. Quand le représentant indien voulut savoir quels seraient les effets de sa proposition, on lui démontra que l'énormité de la somme demandée — payable cinq ans avant que l'extraction ne rapportât le moindre dollar — enlevait pratiquement aux compagnies toute possibilité de se lancer dans l'extraction. Ébranlé, le représentant du Tiers Monde annonça qu'il allait reconsidérer sa proposition. De l'autre côté, l'étude du MIT contribua à l'édification des représentants américains qui s'étaient contentés de se documenter sur le sujet auprès des seules compagnies intéressées. L'étude signalait que ces dernières pouvaient supporter économiquement de payer un impôt initial. De ce fait, les États-Unis durent également modifier leur position. Personne n'eut à céder, on ne put taxer personne de faiblesse, tout le monde fut raisonnable. Après de longues négociations, les parties aboutirent à un accord provisoire dont tous avaient lieu d'être satisfaits.

Cette étude du MIT permit la conclusion d'un accord que les différentes prises de position avaient rendu difficile. La solution retenue était préférable puisqu'elle était incitative pour les compagnies tout en procurant des revenus importants à tous les pays du monde. En s'appuyant sur cette étude objective, les parties en présence étaient à même de prévoir les conséquences de chaque proposition et donc de se convaincre de l'équité de leur accord provisoire. Ce fait ne manquera pas de raffermir leurs relations et de les inciter à respecter leurs engagements respectifs.

La mise au point d'un critère objectif.

Si l'on décide d'adopter la méthode de négociation raisonnée, deux questions se posent : comment mettre au point des critères objectifs, comment les utiliser dans la discussion.

Quelque tactique que l'on fasse sienne, mieux vaut s'y préparer à l'avance. Ce principe s'applique parfaitement à la négociation raisonnée. Aussi est-il bon d'envisager quelques critères de rechange et de réfléchir à la manière de les utiliser.

Les critères d'équité. Il est bien rare qu'il existe un critère unique susceptible de servir de base à un accord. Supposons que la voiture de M. ait été détruite et qu'il en réclame le remboursement à sa compagnie d'assurances. Dans la discussion, et pour déterminer la valeur de son véhicule, il disposera de divers critères : (1) le prix d'origine diminué de la dépréciation d'usage ; (2) le prix qu'il aurait pu en obtenir en le mettant en vente ; (3) le prix de l'argus pour le modèle de la même année ; (4) le prix d'achat par lui d'une voiture d'occasion de remplacement ; (5) le dédommagement qu'un tribunal pourrait lui accorder.

Dans d'autres affaires, voici quelques-uns des critères sur lesquels on pourrait fonder la conclusion d'un accord : valeur du marché, décision judiciaire, précédents, critères moraux, évaluation scientifique, égalité des chances, critères professionnels, tradition, efficacité, réciprocité, coûts, etc.

Pour être objectif, un critère doit à tout le moins être indépendant de la volonté des parties en présence. Dans l'idéal, pour produire un accord judicieux, il ne devrait pas seulement être indépendant de toute volonté individuelle, mais encore légitime et facile à mettre en pratique. C'est ainsi que dans une querelle de frontières, on trouvera plus facile de s'entendre sur une délimitation naturelle, comme le cours d'une rivière, plutôt que sur une ligne idéale.

Le critère objectif, en théorie du moins, doit être acceptable pour les deux parties en présence. Il faut donc le mettre à l'épreuve de l'application réciproque pour vérifier qu'il est équitable et indépendant de la volonté de tous. Si un agent immobilier, auquel on s'adresse pour acheter une maison, offre un contrat de vente type, il serait sage de lui demander si c'est le même contrat qu'il utilise quand lui-même achète une maison. Dans l'arène internationale, de nombreuses nations clament bien fort que le principe d'autodétermination est un droit fondamental, mais elles refusent de le reconnaître à ceux de l'autre camp. Nous ne citerons pour mémoire que le Proche-Orient, l'Irlande et Chypre.

Procédures équitables. Pour obtenir un résultat indépendant de la volonté, on peut utiliser des critères justes sur lesquels fonder le règlement des questions de fond, ou bien des procédures judicieuses pour résoudre les conflits d'intérêts. Rappelons-nous le vieux système utilisé pour partager un gâteau entre deux enfants : l'un coupe, l'autre choisit. Nul ne peut se plaindre d'une injustice.

On a utilisé cette procédure élémentaire au cours des discussions sur le droit de la mer, l'une des négociations les plus complexes jamais entreprises. A un certain moment, quand il fut question de déterminer le mode d'attribution des emplacements propices à l'extraction, la négociation se trouva bloquée : selon les termes de l'accord préalable, la moitié des emplacements devait être exploitée par des sociétés privées, l'autre moitié par l' « Enterprise », une société patronnée par les Nations unies. Comme les sociétés privées, issues de pays riches, possédaient à la fois les techniques de pointe et l'expérience qui leur permettait de choisir les meilleurs emplacements, les nations les plus déshéritées craignaient que l'Enterprise, moins bien informée, ne fasse un mauvais marché. On se mit donc d'accord pour que toute société privée désireuse de procéder à l'extraction des nodules présentât à l'Enterprise deux demandes de concession à des endroits différents. La société patronnée par les Nations unies en retiendrait une pour elle-même et autoriserait la compagnie privée à exploiter l'autre. Dans l'ignorance de la concession qui lui serait attribuée, la société soumissionnaire aurait tout intérêt à présenter deux projets de valeur égale. On voit que cette procédure fort simple mettait tout le monde à même de profiter des compétences du secteur privé au lieu d'en être victime.

Il existe une variante de cette procédure de « l'un coupe, l'autre choisit » : les adversaires expliquent d'abord ce qu'ils considèrent comme l'arrangement le plus équitable et choisissent ensuite leurs rôles respectifs. Ainsi, dans une procédure de divorce, on se met d'abord d'accord sur les droits de visite et l'on décide ensuite qui, du père ou de la mère, aura la garde des enfants. Ignorants du rôle qui leur échoira, les adversaires ne seront pas tentés de tirer la couverture à eux.

Dans le domaine des diverses procédures, il ne faut pas oublier qu'il existe plusieurs méthodes qui ont fait leurs preuves : le choix à tour de rôle, le tirage au sort, l'arbitrage d'un tiers, et ainsi de suite.

Le choix à tour de rôle est souvent la solution la plus commode pour des héritiers qui désirent se répartir un lot important de meubles qui leur est transmis dans l'indivision. Une fois le tour de rôle instauré, chacun choisit un meuble à la fois, quitte à procéder ensuite à des échanges à l'amiable. Une autre solution peut consister pour chaque héritier à opérer un choix global tout en réservant son accord définitif. Si l'on constate que les choix sont complémentaires, l'accord peut être conclu. Le tirage au sort — courte-paille, pile ou face, etc. — assure évidemment quant à lui une parfaite impartialité. L'équité du résultat est loin d'être toujours assurée, mais du moins tous les participants ont-ils bénéficié de chances égales au départ.

Une procédure courante aux variantes quasi infinies consiste à laisser à un tiers le soin de trancher en dernier ressort. Les parties peuvent se mettre d'accord pour accepter l'arbitrage d'un expert. Elles peuvent aussi demander à un médiateur de les aider à prendre une décision.

Aux États-Unis, il existe, chez les professionnels du base-ball, par exemple, une variante assez particulière de cette procédure. Lors des discussions salariales, un arbitre choisit entre les deux dernières proposition et contre-proposition des parties en présence. En théorie, cela incite joueurs et gérants de club à faire des offres raisonnables, dans l'espoir qu'elles seront retenues par l'arbitre. Dans les milieux sportifs, comme dans les États où la loi a institué cette forme d'arbitrage pour les discussions salariales des fonctionnaires, il semble bien qu'elle soit plus fréquemment génératrice d'accords que les arbitrages classiques. Toutefois, quand les parties en présence refusent de jouer le jeu, il arrive que l'arbitre soit placé dans la situation délicate d'avoir à choisir entre deux propositions déraisonnables, l'une par excès, l'autre par défaut.

Fonder les discussions sur un critère objectif.

Une fois que l'on a sélectionné les critères et les procédures que l'on compte proposer à l'adversaire, comment procède-t-on pour les lui faire connaître et en discuter avec lui ?

La négociation raisonnée repose sur trois principes fondamentaux :

1. On présente chaque question comme la recherche commune d'un critère objectif.

2. On est prêt à raisonner et on reste ouvert à la raison dans la discussion qui permettra de déterminer les critères les mieux adaptés à l'affaire que l'on traite et la manière de les utiliser.

3. On ne cède jamais aux pressions, mais on s'incline devant les principes.

Bref, on centre la discussion sur les critères objectifs avec un mélange de fermeté et de souplesse.

Présenter chaque question comme la recherche conjointe d'un critère objectif. Pour négocier l'achat d'une maison, on pourrait faire la déclaration liminaire suivante : « Écoutez, vous désirez vendre cher et moi j'ai intérêt à acheter bon marché. Alors, si l'on essayait de se faire une idée d'un prix *juste* ? Quels sont les critères objectifs sur lesquels il conviendrait de s'appuyer ? » Malgré leurs intérêts opposés, le vendeur comme l'acquéreur ont dès lors un but commun : déterminer le juste prix. L'acheteur pourrait commencer lui-même par avancer quelques critères — le coût de la maison compte tenu de la dévalorisation et de l'inflation, des prix de vente récents de maisons semblables dans le quartier ou une évaluation indépendante — et il inviterait ensuite le vendeur à faire ses propres suggestions.

Demander : sur quoi vous fondez-vous ? Si le vendeur commence par donner une position comme : « C'est 155 000 dollars ! », il faut lui demander sur quoi il base son calcul : « Comment êtes-vous arrivé à ce chiffre ? » Il faut discuter comme si le vendeur était lui aussi à la recherche d'un prix juste, basé sur un critère objectif.

En premier lieu, se mettre d'accord sur les principes.

Avant même de chercher une possibilité d'entente sur la question, il faudrait se mettre d'accord sur le ou les critères qu'on va employer. Chaque critère proposé par l'adversaire devient un point d'appui que l'on peut soi-même utiliser pour le convaincre. Les arguments que l'on présentera n'en auront que plus de force si l'on se sert de son critère, et il lui sera difficile de refuser d'en reconnaître la validité : « Vous dites que M. Dupond a vendu la maison d'à côté pour 160 000 dollars ? Votre principe est de vendre celle-ci au même prix que les autres du quartier, n'est-ce pas ? Alors, dans ce cas, il faudrait voir combien on a vendu celle qui fait le coin avec le boulevard ainsi que celle qui est en face de la boucherie ? » Les gens ont du mal à s'incliner devant une proposition de leur adversaire, mais s'ils ont avancé eux-mêmes le critère de base, ils font preuve de force, et non de faiblesse, en acceptant de s'y référer : ils respectent leur parole.

Raisonner et rester ouvert au raisonnement. Pour que la négociation soit réellement un travail *en commun*, il faut arriver à la table de délibération disposé à écouter dans un esprit d'ouverture, quel que soit le temps passé à l'élaboration des divers critères sur lesquels on compte s'appuyer.

Il est fréquent, par exemple, que les gens utilisent des critères objectifs comme la jurisprudence aux seules fins de soutenir leur position. Un syndicat de policiers pourrait exiger une certaine augmentation en se référant, pour justifier sa position, à ce qui s'est fait dans d'autres villes. Cet usage des références mène habituellement les gens à s'enferrer encore plus dans leurs positions.

Mais on peut aller plus loin : il y a des gens qui commencent par proclamer que leur position est une question de principe ; ils refusent même d'écouter l'argumentation de leur adversaire. « C'est une question de principe ! » devient un cri de bataille dans une guerre sainte d'idéologie ! Des divergences sur des questions matérielles se métamorphosent en questions de principe, et les négociateurs se retrouvent complètement bloqués.

Nous n'insisterons jamais assez sur le fait que cela n'est pas ce que nous appelons la négociation raisonnée. Exiger de fonder tout accord sur des critères objectifs ne signifie pas exiger qu'il se fonde sur celui que l'on a soi-même choisi et seulement celui-là. Il peut en effet en exister d'autres tout aussi légitimes, et celui qui sera jugé tel par l'un ne le sera pas forcément par l'autre. Il serait bon d'agir dans ce cas comme le ferait un magistrat : bien que nous ayons un préjugé favorable pour une des parties (la nôtre en l'occurrence), on devrait s'en tenir à la légitimité en acceptant de s'appuyer sur un autre critère ou en l'utilisant différemment. Quand les deux parties proposent chacune un critère différent, il faut chercher une base objective qui permette de trancher ; on se demandera par exemple lequel a déjà été utilisé dans le passé ou lequel est le plus généralement utilisé. On ne peut pas régler cette question du choix des critères en se basant sur la volonté des parties en présence, pas plus que l'on ne pourrait régler de cette façon l'objet même du conflit.

Dans certaines affaires, les discussions sont fondées sur deux critères différents (la valeur du marché et le prix neuf diminué de la dépréciation par exemple) qui produisent deux résultats différents mais que les parties acceptent l'un et l'autre comme parfaitement légitimes. Si tel est le cas, on a tout loisir de partager la différence ou d'imaginer toute autre forme de compromis entre les deux résultats, puisqu'ils sont aussi indépendants l'un que l'autre de la volonté des négociateurs.

En revanche, quand, après une discussion approfondie, on n'est toujours pas convaincu de la légitimité des critères proposés par la partie adverse, on peut accepter de soumettre l'ensemble des critères proposés par les deux parties à l'arbitrage d'une personne dont l'impartialité est reconnue par les deux camps. A cette personne d'indiquer le critère qui lui semble le plus juste et le mieux adapté à la situation qui doit faire l'objet de la négociation. Puisque la nature même d'un critère objectif est d'être accepté pour tel par un grand nombre de gens, cette démarche se justifie pleinement. Il ne s'agit pas qu'une tierce personne vienne trancher de l'objet de la négociation mais au contraire qu'elle indique le critère qui lui paraît le mieux adapté pour présider à cette négociation.

Il est parfois difficile de distinguer entre la démarche qui consiste à rechercher conjointement le principe approprié à la résolution d'un conflit et celle des gens qui en appellent aux principes dans le seul but d'étayer leur position. Mais c'est une distinction d'une extrême importance. Le tenant de la négociation raisonnée est toujours prêt à se laisser convaincre par un raisonnement objectif, tandis que le négociateur classique ne démordra pas de ses positions. C'est cette ouverture à la raison, jointe à l'exigence d'une solution fondée sur des critères objectifs, qui donne à la négociation raisonnée son efficacité et sa puissance de conviction : l'adversaire est irrésistiblement entraîné à jouer le jeu.

Ne jamais céder à des pressions. Revenons à l'exemple de l'entrepreneur et supposons que ce dernier propose à M. Durand d'embaucher son beau-frère à condition qu'il se montre plus arrangeant sur la question de la profondeur des fondations. Que va faire M. Durand ? Répondre que la profondeur des fondations n'a strictement rien à voir avec une possibilité d'emploi de son beau-frère. Si l'entrepreneur menace alors de dépasser le devis, M. Durand répondra : « Ici encore, la question doit se régler sur une base objective. Voyons ce que demandent les autres entrepreneurs pour un travail de ce genre. » Ou encore : « Je suis prêt à voir vos comptes avec vous. Nous tenterons de calculer une marge bénéficiaire raisonnable. » Et si l'entrepreneur réplique par le classique : « Vous n'avez pas confiance en moi ? » Il faudra répondre : « Cela n'est pas une question de confiance. Nous devons calculer la profondeur nécessaire pour que les fondations assurent la stabilité de la construction, voilà tout. »

Il existe mille manières d'exercer une pression : pot-de-vin, menaces, appel abusif à la confiance, refus obstiné de changer d'avis. La réponse du négociateur objectif est toujours la même : il invite l'adversaire à fournir ses arguments, propose l'adoption d'un critère objectif adapté à la situation, et refuse de prendre une quelconque décision sur une autre base. Il est prêt à s'incliner devant des principes objectifs, jamais à céder à la pression.

Qui l'emportera ? Il est évidemment difficile de le prévoir pour tous les cas d'espèce mais, en règle générale, le négociateur objectif disposera d'un certain avantage. Outre la force de sa volonté, il dispose de la force que confère le bon droit et du pouvoir de persuasion de ceux qui restent ouverts au raisonnement. Il lui sera toujours plus facile de refuser une concession arbitraire qu'à la partie adverse de refuser d'avancer un critère objectif. Refuser de céder si l'on ne vous en fournit pas de bonnes raisons est une position plus tenable — en privé comme en public — que l'attitude qui consiste à refuser de céder sans même motiver son refus.

Au minimum, le tenant de la négociation raisonnée peut généralement espérer l'emporter sur la question de la marche à suivre. On peut presque toujours convaincre la partie adverse de renoncer à la négociation de positions pour rechercher des critères objectifs. En ce sens, on peut dire que la négociation raisonnée est une stratégie dominante par rapport à la négociation de position. Quand on insiste pour que la négociation porte sur des aspects objectifs, on peut amener l'adversaire à jouer le jeu à partir du moment où il comprend qu'il ne dispose d'aucun autre moyen de défendre ses intérêts dans l'affaire qui fait l'objet de la négociation.

Sur le fond même de l'affaire, les avantages de notre méthode sont loin d'être négligeables. Elle permet en particulier aux négociateurs, qui risqueraient de se laisser intimider par un adversaire coriace, de demeurer fermes sans renoncer à être justes. Les principes objectifs vous soutiennent et vous interdisent de céder à la pression. En l'occurrence, le bon droit fait la force.

Mais si la partie adverse s'obstine et refuse de fournir un quelconque argument objectif pour justifier sa position, il n'est plus de négociation possible. Le choix devient celui du client de l'épicier qui se voit offrir des produits à prix fixe. C'est à prendre ou à laisser. Avant de décider en faveur de cette dernière solution, on aura intérêt à s'assurer qu'on n'a pas négligé l'existence d'un critère objectif qui rendrait cette offre raisonnable. Si tel est le cas, on pourra toujours donner son accord sur la base du critère que l'on aura soi-même trouvé. Du moins sera-t-on persuadé de n'avoir pas cédé à une position arbitraire.

Enfin, quand l'adversaire ne cède pas d'un pouce et qu'on est incapable de trouver le moindre critère objectif pour justifier la position qu'il a adoptée, il reste à se demander ce que l'on gagnerait en s'inclinant devant cette position injustifiée plutôt que de se rabattre sur une des solutions de rechange dont on dispose. L'avantage escompté l'emporterait-il sur la réputation de négociateur intègre que l'on gagnerait en décidant de mettre fin aux discussions ?

En réussissant à centrer la discussion sur la manière dont il conviendrait d'aborder la question plutôt que sur ce que la partie adverse est prête à faire, on ne clôt certes pas la discussion et l'on n'est pas assuré de l'emporter. Mais c'est une méthode qui permet d'aller résolument de l'avant sans faire les frais toujours élevés de la négociation de positions.

« C'est le règlement. »

Voici une anecdote tirée de la vie réelle, mettant en présence un négociateur classique et un tenant de la négociation raisonnée. La voiture d'un de nos collègues, que nous appellerons Tom, a été détruite par une benne à ordures alors qu'elle était en stationnement. Le véhicule était assuré, et Tom a pris contact avec l'expert de la compagnie pour connaître le montant de l'indemnisation à laquelle il pouvait prétendre.

L'EXPERT	TOM
Nous avons étudié votre dossier et décidé que votre police vous donne droit à indemnisation. Vous allez recevoir 6 600 dollars.	
	Ah bon. Comment vous êtes-vous décidé pour cette somme ?
Nous estimons que c'est la valeur de votre véhicule.	
	J'entends bien. Mais sur quels critères vous êtes-vous fondé pour parvenir à ce chiffre ? Savez-vous où je pourrais me procurer une voiture équivalente pour ce prix-là ?
Combien demandez-vous ?	
	Mais très exactement ce à quoi me donne droit ma police. J'ai trouvé un véhicule d'occasion à peu près équivalent pour 7 700 dollars. Avec les frais et les taxes ça nous mène vers 8 000 dollars.
8 000 ! Mais c'est beaucoup trop !	
	Je ne demande ni 8 000, ni 6 000, ni 10 000. Je demande une juste indemnisation. Vous êtes bien d'accord qu'il me faut, en bonne justice, une somme qui me permette de remplacer ma voiture ?
D'accord. Je vous offre 7 000. C'est le maximum autorisé par le règlement.	

Sur quelle base s'appuie-t-il, ce règlement ?

Écoutez, c'est 7 000, à prendre ou à laisser.

Mais c'est peut-être parfaitement correct ; je ne sais pas. Je comprends parfaitement votre position si vous êtes tenu par le règlement. Mais si vous n'êtes pas en mesure de m'exposer en quoi cette somme est objectivement celle à laquelle j'ai droit, je pense que j'obtiendrai plus devant un tribunal. Donnons-nous le temps de réfléchir. Je vous rappelle mercredi vers onze heures, d'accord ?

***

Voilà, j'ai sous les yeux une annonce pour une Taurus 1989 à 6 800 dollars.

Très bien. Quel est le kilométrage ?

70 000, pourquoi ?

Parce que la mienne n'avait que 35 000 kilomètres. Quelle différence cela représente-t-il dans votre barème ?

Attendez, je regarde... 450 dollars.

Bien, si nous prenons les 6 800 de l'annonce comme base de discussion, cela nous amène à 7 250. L'annonce parle-t-elle d'une radio ?

Non.

A combien cela est-il estimé dans votre barème ?

125 dollars.

Parfait. Et l'air conditionné ?

***

Le lendemain, la compagnie d'assurances adressait à Tom un chèque d'un montant de 8 024 dollars.

III. Oui mais...

6. Que se passe-t-il quand la partie adverse est manifestement plus puissante ?
(*comment mettre au point sa MESORE — sa MEilleure SOlution de REchange*)

7. Que se passe-t-il quand la partie adverse refuse de jouer le jeu ?
(*l'art de la négociation jiu-jitsu*)

8. Que se passe-t-il quand la partie adverse triche ou recourt à des moyens déloyaux ?
(*comment dompter un négociateur coriace*)

6. Que se passe-t-il quand la partie adverse est manifestement plus puissante ?

(comment mettre au point sa MESORE : sa MEilleure SOlution de REchange)

A quoi sert de parler d'intérêts, de choix et de critères si la partie adverse a une position manifestement plus puissante ? Que faire si ceux d'en face sont plus riches ou plus influents, s'ils ont plus de personnel ou des armes plus redoutables ? Aucune stratégie ne peut garantir le succès si la balance penche trop du côté de la partie adverse. Il n'y a pas de livre sur le jardinage capable d'enseigner la culture des lys dans le désert ou des cactus dans les marécages. Si pour toute fortune on possède un billet de 100 dollars et que l'on entre dans un magasin d'antiquités pour acheter un service à thé George IV en argent qui en coûte des milliers, l'art le plus consommé de la négociation n'arrivera pas à combler la différence. Il y a des réalités difficiles à modifier dans toute négociation. Face à la puissance, ce qu'on peut espérer de mieux d'une méthode de négociation, c'est qu'elle permette d'atteindre deux buts : premièrement, qu'elle nous empêche de conclure un accord que l'on devrait refuser ; deuxièmement, qu'elle aide à tirer le meilleur parti des atouts que l'on a en main afin, si l'on obtient un accord, que nos intérêts soient pris en compte autant que faire se peut. Examinons successivement chacun de ces objectifs.

Se protéger.

Quand on se précipite à l'aéroport parce qu'on craint de rater le départ d'un avion, on agit comme si c'était une question de vie ou de mort. En y réfléchissant à tête reposée, on se rend compte qu'on aurait fort bien pu prendre le suivant sans que cela constitue une catastrophe. Ce genre d'illusion psychologique est fréquent dans une négociation. Décidé à conclure une transaction importante, dans laquelle on a investi beaucoup de soi-même, on redoute par-dessus tout l'éventualité d'un échec. Dans de telles conditions, le danger principal devient de se montrer trop conciliant — trop prêt à aller au-devant des désirs de la partie adverse. Le chant des sirènes — « Allons, accepte et finissons-en ! » — devient irrésistible. On risque de signer un accord qu'on aurait mieux fait de refuser.

Le seuil non négociable et ses risques. Afin de se protéger contre ce genre de mésaventure, les négociateurs se fixent en général un seuil non négociable, au-delà duquel ils refuseront d'aller. Pour l'acheteur, c'est le prix maximum qu'il acceptera d'acquitter ; pour le vendeur, le prix plancher en dessous duquel il refusera de vendre. Des époux se mettront par exemple d'accord pour demander 200 000 dollars de leur maison, convenant qu'ils n'accepteront aucune offre inférieure à 160 000.

Ainsi armé d'un seuil non négociable, on sera mieux à même de résister aux pressions de l'autre partie et aux tentations du moment. Pour reprendre l'exemple de la maison, supposons qu'un acheteur ne dispose que de 144 000 dollars et que l'agent immobilier sache que la maison vous en a coûté 135 000 seulement quand vous l'avez achetée voilà un peu plus d'un an. Dans une situation de ce genre, c'est du vendeur seul que dépendra la conclusion éventuelle d'un accord. Tous les participants à la négociation se tourneront donc vers lui. S'il s'est fixé à l'avance un seuil non négociable, il ne risquera pas de prendre alors une décision qu'il regretterait par la suite.

Le seuil non négociable permet encore, dans les cas où l'une des parties en présence regroupe plusieurs personnes, de s'assurer qu'aucune d'entre elles ne risque de révéler à la partie adverse la possibilité de traiter à moindres frais. Il permet aussi de limiter les pouvoirs d'un avocat, d'un agent immobilier, ou de tout autre mandataire, auquel on pourra dire : « Obtenez-moi le meilleur prix, mais ne descendez en aucun cas au-dessous de 160 000 dollars. » Une coalition syndicale pourra également s'entendre sur un seuil non négociable avant d'entrer dans une négociation avec le patronat, pour éviter de voir l'un des syndicats se désolidariser de l'ensemble en réponse à des propositions précises de la partie adverse.

Mais cette protection risque d'être fort coûteuse. Elle empêche de tirer parti de ce qu'on peut apprendre dans le courant même de la négociation. Par définition, le seuil non négociable représente une position immuable. On ne prêtera l'oreille à aucun des arguments qui risqueraient de conduire à son abaissement ou son élévation.

Le seuil non négociable est une entrave à l'imagination. Il réduit le besoin d'inventer une solution « sur mesure » qui permettrait de concilier les intérêts divergents des parties en présence pour leur plus grand bénéfice mutuel. Or, la quasi-totalité des affaires que l'on négocie comportent plus d'une solution. Plutôt que d'exiger 160 000 dollars, le couple qui vend sa maison aurait peut-être intérêt à en accepter un prix principal de 135 000 dollars assorti d'un certain nombre de conditions : le droit de préemption si elle est remise en vente, un délai pour l'entrée en jouissance effective des acheteurs, le droit d'utiliser la grange comme entrepôt pendant deux ans, une option sur le rachat d'un demi-hectare de prairie, etc. Accrochés à leurs exigences minimales, les vendeurs n'envisageront même pas d'entrer dans la voie, pourtant riche de possibles, que nous venons d'évoquer. Rigide par nature, le seuil non négociable risque presque toujours de se révéler *trop* rigide.

Il est en outre fréquent que le seuil non négociable soit d'emblée fixé trop haut. Imaginons une famille réunie autour de la table du petit déjeuner et tentant de déterminer le prix plancher auquel il convient de vendre la maison qu'elle habite. Un premier membre de la famille lance un chiffre en l'air : « 100 000 ? » ; un autre se récrie : « Non, 140 000 au moins ! » Un troisième intervient : « 140 000 dollars, pour la maison que nous habitons ? Mais vous êtes fous ! Elle en vaut au moins 200 000, et encore, on se fait voler à ce prix-là ! » Assis, là, tous ensemble, qui s'aviserait de lancer une objection ? Chacun sait que, plus le prix sera élevé, plus la famille y gagnera. Une fois prise dans des conditions aussi fantaisistes, une décision devient très difficile à modifier et risque d'empêcher la vente pendant des années. Il arrive au contraire que le seuil non négociable soit fixé trop bas. Mieux aurait valu louer la maison que la vendre à un tel prix.

Bref, si l'on peut effectivement se garantir contre la signature d'un très mauvais accord en se fixant d'emblée un seuil non négociable, on risque du même coup de se priver de la possibilité d'imaginer ou d'accepter une solution qui aurait pu se révéler judicieuse.

Existe-t-il une autre solution ? Un moyen d'évaluer tout accord pour savoir si l'on a intérêt ou non à le signer ? Oui, et c'est la MESORE.

Apprendre à connaître sa MESORE. Quand une famille tient conseil pour arrêter le prix minimum de la maison qu'elle veut vendre, elle ferait bien de se demander plutôt ce qu'elle fera si la vente ne se fait pas au bout d'un certain temps. La maintiendra-t-elle en vente indéfiniment ? Choisira-t-elle au contraire de la mettre en location, de l'abattre pour transformer le terrain en parc de stationnement, de la confier gratuitement à quelqu'un qui se chargera de la repeindre, ou toute autre solution de rechange ? Quelle est, tout bien considéré, la plus séduisante de ces possibilités ? Il se pourrait que l'une des solutions de rechange soit préférable au fait de vendre la maison 160 000 dollars ; tout comme il se pourrait qu'il vaille mieux la vendre 124 000 que de la conserver indéfiniment. Il n'y a guère de raison pour qu'un seuil arbitrairement fixé reflète les intérêts réels de la famille.

Si l'on négocie, c'est pour obtenir un résultat supérieur à celui qu'on pourrait escompter sans négociation. Ce dernier, quel est-il ? Quelle est la MESORE — la MEilleure SOlution de REchange en dehors de toute négociation ? Tel est le critère sur lequel on devrait s'appuyer pour évaluer toute proposition d'accord. C'est la seule façon de se prémunir à la fois contre la signature d'un accord nettement défavorable et le refus d'un accord qu'on aurait intérêt à conclure.

La MESORE n'est pas seulement un meilleur outil d'évaluation, elle possède en outre une souplesse suffisante pour permettre d'envisager toutes sortes de variantes et de possibilités. Au lieu de rejeter purement et simplement toutes les solutions qui ne correspondent pas au seuil non négociable qu'on s'est fixé à l'avance, on peut comparer toutes les propositions avec sa MESORE et retenir celles qui se révèlent plus profitables.

Sans MESORE on n'a aucune sécurité. S'engager dans une négociation avant d'avoir soigneusement envisagé ce que l'on fera en cas d'échec, c'est négocier les yeux fermés. On peut, par exemple, pécher par excès d'optimisme et croire que l'on a des choix à revendre : d'autres maisons à proposer, d'autres acheteurs pour la voiture d'occasion, d'autres plombiers qui viendront travailler, d'autres emplois disponibles, d'autres grossistes et ainsi de suite. Même si l'on dispose d'une véritable solution de rechange, il ne faut pas prendre trop à la légère les conséquences de l'échec d'une négociation. Il arrive que l'on ne se rende pas vraiment compte des affres d'un procès, des suites d'un divorce mal accepté, d'une grève, d'une course à l'armement ou d'une guerre.

Il est fréquent de commettre l'erreur d'évaluer en vrac ses solutions de remplacement. Tel négociateur, par exemple, s'il n'obtenait pas l'emploi qu'il sollicite, pense qu'il pourra toujours aller en Californie, ou dans le Sud, ou qu'il reprendra ses études, ou qu'il écrira, qu'il travaillera dans une ferme, ou qu'il ira vivre à Paris ou mille choses encore ; il est bien près de trouver l'ensemble de ces possibilités plus séduisant que tel salaire pour tel travail dans telle branche. Il lui sera impossible, malheureusement, de réaliser tous ces projets à la fois, et s'il n'obtient pas cet emploi-là, il ne pourra en choisir qu'un seul.

La plupart du temps, cependant, le plus grand danger est plutôt que l'on se sent obligé de conclure un accord. Faute de s'être ménagé à l'avance une roue de secours, on se met à redouter par-dessus tout l'échec des négociations. Bien que l'on sache, qu'il vaut mieux avoir une bonne solution de rechange, on peut hésiter à se lancer dans sa recherche. On espère que tel acheteur ou tel autre finiront bien par faire une offre intéressante pour la maison. La tentation est grande de discuter d'abord, dans l'espoir de réussir, et de ne prendre qu'ensuite les mesures qu'imposera un échec éventuel. « On verra bien ! » Mais il est indispensable de disposer ne serait-ce que d'une réponse provisoire à la question pour mener judicieusement les négociations. Car leur aboutissement, accord ou échec, dépend entièrement de l'intérêt de la solution de rechange qu'on aura su se ménager.

Disposer d'un signal d'alarme. La MESORE constitue le moyen de juger en dernier ressort de tout projet d'accord, mais le négociateur peut avoir besoin d'un deuxième instrument de mesure. Pour être averti suffisamment tôt que le contenu de l'accord envisagé est en passe de devenir défavorable, il a intérêt à connaître la dernière solution acceptable — celle qui, loin d'être parfaite, n'en demeure pas moins préférable à sa MESORE. Avant d'accepter un accord en deçà de ce « signal d'alarme », il doit prendre le temps de reconsidérer la situation. Ce « signal d'alarme », au même titre qu'un seuil non négociable, permet de limiter le mandat d'un représentant. « Ne vendez pas à moins de 158 000 dollars, c'est le prix que j'ai payé moi-même augmenté des intérêts. » Bref, le signal procure une marge de sécurité. Si, une fois qu'il a résonné, on décide de faire appel à un médiateur, on ne le laisse pas travailler les mains tout à fait vides : la différence entre le signal d'alarme et la MESORE représente sa marge de manœuvre.

Tirer le meilleur parti de ses atouts.

Se protéger contre le risque de signer un accord peu profitable est une chose, savoir tirer le meilleur parti des atouts dont on dispose pour parvenir à un accord satisfaisant en est une autre. C'est encore la MESORE qui permet d'obtenir ce résultat.

Le pouvoir est fonction d'une bonne MESORE. La richesse, les appuis politiques, la force physique, la puissance militaire, les alliances passent généralement pour les principaux atouts des négociateurs. En réalité, les différences de puissance entre les parties en présence dans une négociation résident avant tout dans l'intérêt qu'elles auraient éventuellement à ne pas aboutir à un accord.

Imaginons quelque riche touriste désireux d'acquérir un petit pot de cuivre auprès d'un colporteur de la gare de Bombay. Le marchand ambulant est pauvre, mais il connaît fort bien le marché. S'il ne fait pas affaire avec ce touriste-là, il vendra le pot à un autre. Son expérience lui permet d'estimer quand et à quel prix. Tout riche et « puissant » qu'il est, le touriste est en position de faiblesse dans cette négociation. Ou bien il n'aura pas l'objet qu'il convoite, ou bien il le paiera probablement trop cher. A moins qu'il ne sache exactement où se procurer un pot semblable et à quel prix, sa richesse ne lui est d'aucun secours. Si elle est trop apparente, elle constituera même une faiblesse supplémentaire car elle incitera le colporteur à augmenter son prix. Afin de muer sa richesse en pouvoir, le touriste devrait s'en servir pour se documenter sur les prix pratiqués et les points de vente.

Quand la partie adverse est plus puissante

Quelle est la situation d'un demandeur d'emploi qui se présente chez un employeur éventuel sans rien avoir d'autre en vue que de vagues contacts ? Dans quel état d'esprit va-t-il aborder la discussion de son salaire ? S'il disposait déjà de deux autres offres, le contexte serait bien différent. C'est dans cette différence que réside le pouvoir.

Ce qui est vrai d'une discussion entre particuliers l'est tout autant des négociations entre collectivités. Nous pensons à l'exemple, déjà cité, de la négociation entre les représentants d'une modeste localité et une multinationale qui possédait une usine aux limites de la ville. Un accord à l'amiable permit d'augmenter les impôts qui passèrent de 300 000 dollars par an à plus de 2 millions. Pourquoi ?

La municipalité en question savait exactement ce qu'elle ferait en cas d'échec des négociations. Elle étendrait par décret le territoire urbanisable de la commune et, cessant d'être située dans la zone industrielle, l'usine acquitterait de plein droit plus de 2 millions et demi d'impôts. L'état-major de la multinationale n'avait pas prévu la possibilité de déplacer ses installations. Au premier abord, sa position semblait très puissante : elle fournissait la plupart des emplois d'une ville malade économiquement et pour laquelle la fermeture de l'usine eut été une catastrophe. Les impôts servaient entre autres à payer les salaires des édiles qui réclamaient un rajustement. Mais tout ce pouvoir fut de peu de secours. Personne, au sein de la compagnie, ne s'était avisé de le muer en bonne MESORE. Au contraire, armée d'une MESORE bien étudiée, la petite ville fut en mesure de peser sur l'issue de négociations menées avec l'une des sociétés les plus puissantes du monde. La différence de pouvoir entre la municipalité et la direction de l'usine ne résidait pas dans leur richesse ou leur poids politique respectifs, mais bien dans la meilleure solution de repli dont elles disposaient l'une et l'autre.

Mettre au point sa MESORE. Pour augmenter puissamment les atouts dont on dispose, il faut se lancer résolument dans la recherche de ce que l'on pourra faire au cas où l'on n'aboutirait pas à un accord. Les solutions de rechange n'attendent pas tranquillement que l'on vienne les cueillir, il faut habituellement se donner la peine de les chercher.

Pour élaborer des MESORE acceptables, il faut se livrer à trois opérations différentes : (1) inventer une série de solutions de repli auxquelles on pourrait raisonnablement se résoudre si l'accord était impossible ; (2) creuser à fond quelques-unes des idées les plus séduisantes et mettre au point leur application pratique ; (3) choisir provisoirement la meilleure.

Premièrement, il faut inventer. Si, à la fin du mois, la Société X ne nous a pas fait une proposition satisfaisante, que pouvons-nous envisager ? Travailler chez Y ? Prospecter dans une autre ville ? Nous installer à notre compte ? Une autre possibilité ? Un syndicat, par exemple, aura, pour répondre à un échec, un éventail de solutions de remplacements : appeler à la grève immédiate, accepter provisoirement le travail sans convention collective, lancer un préavis de grève, recourir à un médiateur ou encore faire un appel à la base pour une grève du zèle.

Deuxièmement, il faut pousser plus loin les idées qui paraissent les plus souhaitables pour les transformer en véritables propositions. Si l'on envisage d'aller travailler dans une autre ville, on doit essayer de concrétiser cette idée en recueillant au moins une offre d'emploi dans le lieu choisi ; avec cette offre en main (ou même après avoir découvert qu'il est impossible d'en obtenir une), on sera plus en mesure d'apprécier tous les avantages d'une offre dans sa ville. Les dirigeants syndicaux, tout en poursuivant les négociations, devraient prendre les mesures nécessaires pour que les solutions qu'ils envisagent — recours à l'arbitrage d'un médiateur, appel à la grève — passent de l'état de projets à celui de décisions précises et susceptibles d'être mises immédiatement à exécution. Ils pourraient, par exemple, organiser un vote au sein de leur base pour que l'ordre de grève soit exécutoire en cas d'échec des négociations, avant l'expiration de la convention.

Troisième et dernière étape de la mise au point de sa MESORE, il faut choisir la meilleure des solutions. Si l'accord se révèle impossible à atteindre, quelle solution va-t-on choisir de mettre en pratique ? Après tout le travail préliminaire, on est maintenant en possession d'une MESORE ; il faut mettre toutes les offres en balance avec elle. Plus on est satisfait de sa MESORE, plus on est en mesure d'améliorer les termes d'un accord négocié. Savoir ce que l'on fera en cas de rupture donne en effet de l'assurance dans les discussions : il est plus facile de rompre si l'on sait où l'on va, et plus on aura envie de rompre, plus on défendra avec force ses intérêts et le critère de base sur lequel on a la conviction de pouvoir fonder un accord avec la partie adverse.

On peut trouver opportun de révéler sa MESORE à son adversaire. C'est une question d'appréciation. Si elle est extrêmement séduisante — par exemple, il y a un autre acheteur dans la pièce à côté —, on a sûrement intérêt à mettre son vis-à-vis au courant. S'il pense que l'on n'a pas le choix alors qu'en réalité on possède une MESORE, on pourra également presque à coup sûr la lui dévoiler ; mais si elle n'est pas aussi avantageuse que ce qu'il imagine, il vaudra mieux la cacher pour ne pas perdre de sa force.

Étudier la MESORE de l'adversaire. Il faudrait également étudier les solutions dont dispose l'adversaire ; il peut être trop optimiste sur les possibilités qui s'offrent à lui en cas d'échec ; peut-être se laisse-t-il influencer par l'impression vague d'un ensemble de possibilités. Mieux on étudie les projets de la partie adverse, mieux on se prépare aux discussions. En effet, si l'on connaît ses solutions de rechange, on peut en toute logique estimer ce que l'on a à attendre de la négociation engagée, et, dans le cas où il se ferait des illusions sur sa MESORE, on pourrait juger utile de lui en faire rabattre.

D'un autre côté, il arrive aussi que la MESORE de l'adversaire soit nettement préférable pour lui à toute autre solution aussi judicieuse soit-elle. Prenons, par exemple, un groupe de personnes qui s'inquiètent au sujet de la construction d'une usine de produits chimiques dans leur voisinage immédiat ; une quantité considérable de gaz nocifs va infester toute la région. La puissante société mise en cause a le choix entre deux attitudes : ignorer complètement les protestations, ou bien entretenir les pourparlers le temps de terminer la construction de l'usine. Le groupe, pour amener les dirigeants de la société à prendre au sérieux ses préoccupations, devrait engager des poursuites pour faire révoquer leur permis de construire ; si la MESORE de leurs adversaires est tellement forte qu'ils ne voient pas l'intérêt de négocier objectivement, il faut trouver le moyen de renverser la situation.

Et si les deux parties en présence ont chacune une MESORE vraiment séduisante, peut-être la meilleure conclusion de leur négociation serait-elle — pour les deux

— d'échouer ! Dans de telles circonstances, si chacune des parties a reconnu en toute amitié que la façon la plus efficace de servir ses intérêts est d'aller ailleurs sans poursuivre de vaines tentatives d'accord, on peut dire que la négociation a réussi.

Quand l'adversaire est tout-puissant.

Si les adversaires ont de gros canons, il vaut mieux ne pas transformer la négociation en un combat d'artillerie. S'ils donnent l'impression d'être plus forts, il faut s'accrocher avec plus de rigueur à la méthode de négociation objective : dans la mesure où les autres ont les muscles, il faut absolument donner la plus grande importance aux principes objectifs, pour avoir les meilleures chances de s'en sortir.

On trouvera plus facile de négocier objectivement si l'on possède une MESORE. Pour que les atouts que l'on a en main se transforment en véritable pouvoir dans les discussions, il faut découvrir sa MESORE et la peaufiner : mettre en œuvre ses connaissances, son temps, son argent, ses relations et toute son imagination pour élaborer la solution la plus avantageuse en dehors d'un accord négocié avec la partie adverse. Plus on se sentira en position de rompre une négociation en toute quiétude — voire avec plaisir —, plus on sera en mesure de peser sur son résultat.

Un négociateur qui possède une MESORE est donc plus apte non seulement à déterminer l'accord minimum qu'il peut accepter mais encore à l'obtenir. Rechercher sa MESORE est certainement la ligne de conduite la plus efficace qu'il puisse adopter quand il affronte un négociateur apparemment plus puissant.

7. Que se passe-t-il quand la partie adverse refuse de jouer le jeu ?

(l'art de la négociation jiu-jitsu)

Se préoccuper d'intérêts, de solutions et de critères objectifs est certainement sensé, efficace et sympathique, mais que se passe-t-il si l'adversaire refuse de jouer le jeu ? Si, pendant que l'on s'efforce de discuter des besoins essentiels, il affirme sa position dans des termes sans équivoque ? Si, quand on tente de mettre au point des propositions d'accord procurant un gain maximum aux deux parties, il les critique systématiquement, préoccupé de ses seuls bénéfices ? Si, quand on attaque l'objet du différend objectivement, il nous attaque personnellement ? Bref, que peut-on faire pour qu'il abandonne ses positions et négocie sur des critères objectifs ?

On peut aborder cette question de trois manières différentes : la première concerne ce que l'on doit faire *personnellement* — on accordera toute son attention à l'objet du différend plutôt qu'à des positions —, cette tactique, sujet du présent ouvrage, est contagieuse, elle ouvre la voie à la solution pour ceux qui discutent intérêts, propositions et critères objectifs ; on peut réellement changer le jeu en prenant l'initiative d'en entamer un nouveau.

Si ce qui précède ne marche pas et que l'adversaire

continue d'utiliser la méthode classique, on recourra à la deuxième tactique qui concerne ce que *l'adversaire* peut faire : on répondra aux démarches habituelles d'un négociateur de positions de façon à diriger son attention vers l'objet du différend. C'est ce que nous appellerons *la négociation jiu-jitsu.*

La troisième tactique consiste à faire intervenir une *tierce personne* : si l'on n'arrive pas à faire jouer le jeu objectif à l'adversaire ni par la négociation raisonnée ni par la négociation jiu-jitsu, on envisagera de recourir à une tierce personne pour orienter la discussion sur les intérêts, les propositions et les critères. Le meilleur outil dont cette tierce personne disposera sera sans doute la procédure à texte unique.

Nous avons déjà exposé le premier point — la négociation raisonnée. Nous allons donc maintenant parler de la négociation jiu-jitsu et de la procédure à texte unique. A la fin du chapitre, un dialogue entre un propriétaire et son locataire illustrera en détail la technique combinée des négociations raisonnée et jiu-jitsu pour amener un négociateur récalcitrant à jouer le jeu objectif.

La négociation jiu-jitsu.

Quand on a à faire avec un adversaire qui prend nettement une position, on peut être tenté de critiquer cette position et de la refuser ; s'il critique à son tour notre proposition, nous serons tentés de la défendre et de nous y accrocher ; et s'il nous attaque, nous serons tentés de nous défendre puis de contre-attaquer. Bref, s'il nous pousse avec force, nous tenterons de le repousser.

Quand la partie adverse refuse de jouer le jeu

Quand on en arrive à ce point, on finit par se laisser entraîner à jouer le jeu des positions : un adversaire dont on refuse d'examiner la position ne fait que s'enfermer dans son choix. Si, de notre côté, nous défendons une proposition que nous avons faite, nous nous enfermons dans notre propre choix ; l'obligation de se défendre oriente la discussion vers un affrontement de personnes ; dès lors que l'on se trouve dans une telle dynamique d'attaque et de défense, on perd son temps et son énergie dans le jeu dérisoire de l'épreuve de force.

Que faire donc si repousser les attaques n'est pas la bonne tactique ? Comment éviter d'entrer dans le cercle vicieux ? *Il ne faut pas répondre !* Quand l'adversaire expose son point de vue, il ne faut pas le rejeter ; quand il profère des attaques personnelles, il ne faut pas contre-attaquer ; quand il attaque des propositions, il ne faut pas les défendre. Il faut rompre le cercle en refusant de réagir. Au lieu de répondre à une attaque, il faut l'esquiver et la faire dévier dans le sens de la question en cours. C'est une technique qui imite le principe des arts martiaux orientaux tels le judo et le jiu-jitsu : on évite de prendre l'adversaire directement de front et on concentre toute son habileté pour dévier sa force et l'orienter vers nos propres fins. Au lieu de résister à ses efforts, il faut les canaliser pour qu'ils participent à la recherche des intérêts communs, à l'invention de solutions avantageuses fondées sur des critères objectifs.

Mais comment pratiquer cette négociation jiu-jitsu ? Comment arriver à détourner les attaques de l'adversaire au profit de l'objet du différend ?

« L'attaque » du négociateur classique se déroule généralement en trois temps : d'abord, il affirme vigoureusement sa position sur la question ; ensuite, il attaque les idées de l'adversaire ; enfin, il attaque l'adversaire lui-même.

Nous allons étudier comment doit réagir un négociateur raisonné à chacun de ces trois moments.

Découvrir sur quoi repose la position de l'adversaire au lieu de l'attaquer. Quand l'adversaire présente sa position, il ne faut ni l'accepter ni la refuser, mais la traiter comme si c'était une proposition, c'est-à-dire qu'il faut rechercher les intérêts qui la sous-tendent, les principes objectifs sur lesquels elle peut être fondée et les moyens de la perfectionner.

Supposons que vous représentiez une association de professeurs en grève ; ils revendiquent d'une part une augmentation de salaire et ils veulent d'autre part que la question des licenciements soient reconsidérée en tenant compte uniquement de l'ancienneté des personnes concernées. La direction de l'établissement a proposé une augmentation uniforme de 2 000 dollars et veut conserver en outre son droit unilatéral de décider des licenciements. Il faut examiner les préoccupations qui ont motivé cette prise de position : de quelle manière exactement une augmentation supérieure à 2 000 dollars affecterait-elle l'ensemble du budget ? Pourquoi la direction désire-t-elle garder la haute main sur les décisions de licenciements ?

Il faut considérer chacune des positions exprimées par la direction *comme si* elles correspondaient à une sincère tentative de sa part de régler la question : en quoi peut-elle penser qu'elle répond aux préoccupations de tous ? Il faut examiner chaque terme comme faisant partie d'une proposition et l'analyser objectivement afin de voir dans quelle mesure ils correspondent aux revendications ou comment ils pourraient y correspondre. « Comment voulez-vous qu'une augmentation uniforme de 2 000 dollars conserve à nos salaires leur compétitivité sur le marché de cette région et comment dès lors allez-vous pouvoir assurer à vos étudiants l'enseignement de professeurs qualifiés ? D'un autre côté, comment voulez-vous que le personnel enseignant de cet établissement se conforme à la procédure des licenciements que vous proposez ? Nous sommes persuadés de votre bonne foi, mais qu'arrivera-t-il si vous commettez une erreur ? Comment laisserions-nous notre gagne-pain et le bien-être de nos familles à la merci d'une décision qui pourrait être prise arbitrairement ? »

Il faut chercher les principes objectifs sur lesquels se fondent les positions de la partie adverse : « Quel est votre principe de base pour estimer que 2 000 dollars représentent une augmentation raisonnable ? Est-ce que d'autres collèges paient la même somme ? Est-ce le cas dans d'autres établissements comparables au nôtre ? Avez-vous l'intention de licencier en premier lieu les professeurs les moins compétents de la ville, ou bien mettrez-vous à la porte les plus expérimentés — qui, bien sûr, sont les mieux payés ? »

Si l'on discute avec l'adversaire comme si ses propositions étaient susceptibles d'être mises en pratique, on l'amènera à s'intéresser à l'amélioration des textes. En 1970, un avocat américain eut la chance d'avoir un entretien avec le président Nasser au sujet du conflit israélo-arabe. Il demanda notamment à Nasser :

— Quelle décision souhaiteriez-vous que prenne Golda Meir ?

— De se retirer ! répliqua-t-il.

— De se retirer ? s'étonna l'avocat.

— De se retirer de tout le territoire arabe !

— Sans traité ? Sans contrepartie ? demanda l'Américain interloqué.

— Rien ! Ces territoires sont à nous ; elle devrait promettre de se retirer, un point c'est tout ! répondit Nasser.

L'Américain poursuivit :

— Mais qu'arriverait-il à Golda Meir si demain matin elle apparaissait sur les écrans de la télé israélienne pour annoncer : “ Au nom du peuple d'Israël, je m'engage par le présent discours à restituer chaque pouce des territoires occupés en 1967 : le Sinaï, la région de Gaza, la côte occidentale du Jourdain, Jérusalem et le Golan. Et il faut que vous sachiez que les Arabes n'ont pris aucun engagement d'aucune sorte vis-à-vis de moi. ”

Alors Nasser éclata de rire :

— Oh ! Elle se mettrait dans de beaux draps !

Peut-être le fait qu'il ait alors compris le manque de réalisme de sa proposition à Israël a-t-il contribué à l'amener le même jour sur la voie d'un cessez-le-feu dans la guerre d'usure qui l'opposait aux Israéliens.

Rechercher la critique et les conseils de la partie adverse, sans défendre ses propres idées. On perd généralement un temps considérable à faire des critiques, mieux vaut pourtant les rechercher que les refuser : demander à l'adversaire ce qui, à son avis, ne va pas dans le raisonnement, plutôt que de l'obliger à accepter ou à rejeter une idée : « Avons-nous oublié une chose qui vous paraît importante en proposant ce salaire ? » Il faut se mettre à la place de ceux d'en face pour découvrir les raisons profondes qui les ont amenés à former leurs jugements négatifs. Cet effort permet de perfectionner ses propres idées, de les approfondir sous ce nouvel éclairage ; ainsi la critique, au lieu d'être un obstacle à la mise au point d'un accord, deviendra un élément essentiel du processus.

« Si je vous comprends bien, vous dites que vous n'êtes pas en mesure d'accorder plus de 2 000 dollars d'augmentation à 750 professeurs. D'accord. Si nous acceptions ces conditions, que diriez-vous d'une clause stipulant qu'en cas de réduction des effectifs, vous reverseriez aux professeurs qui continueraient de travailler ici l'argent ainsi économisé sous forme de prime mensuelle ? »

On peut aussi tenter de canaliser les critiques dans une direction constructive par un renversement de la situation, en sollicitant les conseils de l'adversaire : « Si votre travail était en jeu, que feriez-vous ? Le sentiment d'insécurité des membres de notre association est terrible, et ils se font beaucoup de souci pour la diminution de leur pouvoir d'achat. Certains envisagent déjà d'appeler un syndicat plus combatif pour lui confier la défense de nos intérêts. Vous voyez la situation dans laquelle je me trouve. » On amène ainsi les représentants de la partie adverse à se pencher sur le problème du point de vue de leurs vis-à-vis. Peut-être se révéleront-ils alors capables de proposer des solutions qui vous conviennent. « Il ressort de ce que vous dites que les enseignants ont l'impression que personne ne les écoute. Nous pourrions tenter de résoudre cet aspect de la question en les invitant à participer à des réunions régulières avec la direction de l'établissement. »

Savoir ramener les attaques personnelles vers les questions de fond. Quand la partie adverse se lance dans des attaques personnelles, il ne faut surtout pas céder à la tentation de riposter. Il faut laisser l'adversaire se défouler. Il faut l'écouter, manifester que l'on comprend ce qu'il dit puis, quand il a terminé sa diatribe, reprendre les attaques personnelles qu'elle contenait pour les ramener vers la question même : « Vous dites que la grève montre le peu d'attention des enseignants pour les enfants, je comprends très bien votre souci. D'autant mieux que c'est aussi le nôtre. Ce qui est en jeu, c'est l'éducation de nos élèves, l'éducation de nos propres enfants. Voilà pourquoi nous désirons que cette grève se termine le plus vite possible afin de pouvoir reprendre notre enseignement. Que pensez-vous que nous puissions faire pour régler le conflit dans les meilleurs délais ? »

Poser des questions et attendre. Pour pratiquer la négociation jiu-jitsu, on dispose de deux armes principales. La première consiste à procéder par questions plutôt que par affirmations. Celui qui affirme se heurte aux résistances qu'il provoque, celui qui questionne obtient des réponses. Les questions fournissent à l'adversaire l'occasion d'exposer son point de vue et à celui qui les pose l'occasion de le comprendre. Elles constituent une manière de mise en demeure qui peut amener l'adversaire à faire face à l'objet du litige. Elles ne lui fournissent pas de cible, pas de position à attaquer. Les questions *informent* plus qu'elles ne *critiquent* : « Que préférez-vous ? Des professeurs qui coopéreront à un processus dont on leur aura donné le sentiment qu'ils sont partie prenante, ou des professeurs qui résisteront de toutes leurs forces à un processus qui leur semblera imposé du dehors, qui ne tienne pas compte de leurs préoccupations légitimes ? »

Le silence est une des armes les plus puissantes. Il ne faut pas hésiter à s'en servir. Si l'adversaire a lancé une proposition déraisonnable ou une attaque que l'on juge injustifiée, le meilleur parti à prendre pourrait bien consister à observer un silence complet.

De même si l'on a posé une question sincère à laquelle on n'a obtenu qu'une réponse évasive. Le silence met les gens mal à l'aise, surtout s'ils ne sont pas eux-mêmes persuadés d'avoir répondu sérieusement. Si le représentant des professeurs demande par exemple : « Pourquoi les enseignants n'ont-ils pas voix au chapitre quand il s'agit des licenciements ? », le président du conseil de direction risque de balbutier : « Mais, les licenciements sont une question purement administrative... Heu... bien sûr, cela intéresse les enseignants au premier chef, mais enfin, ils ne sont pas les plus qualifiés pour juger de la compétence des professeurs... Enfin, ce que je veux dire... »

Le silence donne souvent l'impression qu'on se trouve dans une impasse. Pour tenter d'en sortir, la partie adverse se sentira contrainte de mieux répondre à la question posée, ou d'avancer une nouvelle proposition. Quand on a posé une question, mieux vaut se taire et laisser l'adversaire s'enferrer, que de le tirer d'embarras en posant une nouvelle question ou en émettant un commentaire personnel. Il arrive qu'un négociateur ne soit jamais aussi efficace que quand il se tait.

La procédure à texte unique.

Avant d'avoir recours à la médiation d'un tiers, on attend en général d'avoir épuisé l'ensemble des moyens dont on disposerait pour passer d'une négociation de position classique à la négociation raisonnée. La petite histoire suivante, celle d'un couple qui désirait se faire bâtir une maison, illustrera notre propos et les difficultés auxquelles on se heurte alors.

Oui mais...

La femme rêvait d'une maison à un étage, avec une grande cheminée et une baie vitrée. Le mari avait plutôt en tête une construction moderne dans le style ranch, où il disposerait d'un coin bien à lui et d'un garage assez grand pour y entreposer toutes sortes de choses. Ils entreprennent donc de négocier et échangent force questions. « Et le salon, tu le vois comment, toi ? » « Tu tiens vraiment à cette idée ? » Autant de raisons de voir surgir et s'installer deux plans bien distincts. Chacun demande à un architecte de préparer d'abord une esquisse, puis des plans détaillés. Chacun se retranche de plus en plus sur ses positions. Si sa femme lui demande d'être un peu plus compréhensif, le mari condescend à rogner trente centimètres sur son garage. En échange, elle accepte de sacrifier l'idée d'une véranda derrière la maison, dont elle affirme avoir toujours rêvé bien qu'elle ne figure même pas sur son plan. Chacun chante les louanges de son propre projet et critique celui de l'autre. Les sentiments s'aigrissent peu à peu et la communication devient difficile. Chaque concession débouchant sur de nouvelles exigences, ils n'ont plus guère envie d'en faire.

C'est le schéma classique de la négociation de position. Constatant qu'on est incapable de modifier la situation pour adopter une démarche propre à la recherche d'une solution objective, on pourra solliciter l'intervention d'une tierce personne. Le médiateur est souvent en mesure d'agir plus aisément que les personnes directement concernées ; il aura moins de mal à distinguer entre les questions de personne et les questions de fond et saura orienter la discussion vers la recherche des intérêts réels et des moyens de les satisfaire. Il est souvent en mesure de proposer le critère objectif sur la base duquel on pourra tenter de régler les différends et sait distinguer aussi entre l'invention et le choix. Il est à même de réduire le nombre des décisions préalables nécessaires pour aboutir à un accord et d'aider les parties en présence à percevoir les conséquences qu'aura pour elles la conclusion éventuelle d'un accord. Il est une méthode qui simplifie généralement beaucoup la tâche du médiateur, c'est la *procédure du texte unique.*

Dans le cas de nos deux époux, ils firent effectivement appel à un architecte qui n'était pas encore intervenu dans leur querelle. Mais la sagesse n'est pas un attribut obligé des médiateurs : ayant pris connaissance des plans de la femme et du mari, l'architecte aurait très bien pu leur demander de clarifier telle ou telle de leurs positions respectives, tenter de leur arracher à l'un comme à l'autre une longue série de concessions et finir par les attacher plus encore à leur solution personnelle. Celui auquel ils firent appel se conduisit bien différemment et adopta la procédure du texte unique. Plutôt que de se renseigner sur leurs positions, il s'enquit de leurs intérêts : il ne s'agit pas de demander à la femme la taille de la baie vitrée qu'elle désire, mais *pourquoi* elle en désire une — « Vous aimeriez qu'elle soit orientée vers le soleil du matin ou de l'après-midi ? Elle vous intéresse pour la vue ou pour l'éclairage ? » Et au mari : « Pour quelle raison désirez-vous un garage ? Que comptez-vous y entreposer ? Et votre coin personnel, c'est pour lire, pour regarder la télévision, pour recevoir des amis ? Quand vous y tiendrez-vous ? Pendant la journée, en fin de semaine, le soir ? » Et ainsi de suite.

L'architecte prend bien soin de préciser qu'il ne demande ni à l'un ni à l'autre de renoncer à leur position. Il se renseigne simplement pour se rendre compte des possibilités, encore incertaines, de leur soumettre un projet. Pour le moment, il tente seulement de leur faire exposer leurs besoins et leurs intérêts le plus complètement possible.

Il en établit ensuite une liste (baie ouvrant au levant, grande cheminée, coin confortable pour la lecture, atelier, garage permettant de remiser une tondeuse à gazon, un petit motoculteur et une voiture de tourisme...) qu'il soumet aux deux époux afin qu'ils la complètent et la critique — les critiques étant plus faciles à faire que les concessions.

Quelques jours plus tard, il est en mesure de présenter une première esquisse. « Je n'en suis pas très content mais, avant d'aller plus loin, j'aimerais avoir votre avis. » Invité à présenter ses critiques, le mari dira par exemple : « Ce qui ne va pas ? Eh bien, pour commencer, la salle de bains est trop éloignée de la chambre. Et puis je ne vois guère de place pour mes bouquins. Et la chambre d'amis, vous y avez pensé ? » L'épouse sera invitée à critiquer à son tour.

Quelques jours encore et l'architecte revient avec un deuxième projet pour une nouvelle séance de critiques. « J'ai tenté de résoudre la question de la salle de bains et de la bibliothèque. Et j'ai eu l'idée de faire de votre coin personnel une chambre d'appoint. Qu'en pensez-vous ? » Au fur et à mesure que le projet prend forme, chacun des époux est amené à laisser de côté les détails dépourvus d'importance pour mettre en avant ce qui lui tient le plus à cœur. Sans rien concéder pour autant, l'épouse tiendra à s'assurer que l'architecte a bien compris ses principaux besoins. Personne n'investit son amour-propre dans ces esquisses, pas même l'architecte : il tente tout simplement d'harmoniser au mieux les intérêts de chacun dans la limite de leurs ressources matérielles. Ce n'est pas encore le moment de choisir et personne ne doit avoir peur de s'engager trop à la légère. Ni le mari ni la femme ne parlent d'abandonner leurs positions, mais ils travaillent maintenant côte à côte (au figuré pour le moins) : ils critiquent ensemble les plans au fur et à mesure qu'ils prennent forme et ils collaborent avec l'architecte qui prépare le projet à présenter en dernier lieu.

Et cela continue. Il y a un troisième, un quatrième puis un cinquième plan. Enfin, quand l'architecte juge qu'il ne peut pas aller plus loin, il dit : « Voilà ! Je ne peux pas faire mieux ! J'ai essayé de tenir compte autant que j'ai pu de vos différentes préoccupations ; pour résoudre maintes questions, j'ai recherché des solutions basées sur les lois de l'architecture, sur des techniques industrielles, sur des précédents et j'ai utilisé de mon mieux mes connaissances professionnelles. Voici le plan. Je vous conseille de l'accepter. » Maintenant, chacun des époux n'a plus qu'une réponse à donner : ce sera oui ou non. En prenant leur décision, ils savent exactement ce qu'ils vont obtenir, ils peuvent même faire dépendre leur accord l'un de l'autre. Grâce à la procédure du texte unique, non seulement on échappe à la négociation sur position, mais encore on a la possibilité d'inventer des solutions et d'en choisir une d'un commun accord.

Dans d'autres négociations, qui pourrait tenir le rôle de l'architecte ? On peut toujours solliciter les bons offices d'une tierce personne mais, dans les affaires auxquelles participent plus de deux camps, on peut attribuer le rôle de médiateur à l'un des participants, en ayant soin de choisir celui qui a plus intérêt à la conclusion d'un accord qu'à la discussion de ses termes. Imaginons par exemple le représentant d'une usine de matières plastiques qui négocie une importante commande avec un fabricant de bouteilles. Ce dernier aurait besoin d'un plastique spécial, et la direction de l'usine n'est guère disposée à procéder aux modifications d'outillage qui lui permettraient de réaliser ce produit. Le représentant, quant à lui, touchera une commission qui dépend de la *signature* de l'accord entre l'usine et son client, mais pas des *termes* de l'accord. Ou encore le secrétaire d'un sénateur dont le principal souci est de faire adopter certains crédits et non d'ergoter sur le montant exact de ces crédits. Imaginons aussi tel patron dont les deux collaborateurs défendent chacun un projet différent. Il aura tout intérêt à choisir une solution vivable pour ces deux personnes, plutôt que de trancher en faveur d'un des deux projets. Autant de situations dans lesquelles une des parties en présence peut fort bien assumer en même temps le rôle de médiateur. Dans tous ces cas, la procédure du texte unique rendra de grands services. On se fait le médiateur de ses propres différends.

La plus fameuse procédure à texte unique du monde est sans doute celle utilisée par les États-Unis quand ils ont joué les médiateurs entre l'Égypte et Israël en septembre 1978 à Camp David. Les Américains ont commencé par écouter les parties en présence : ils ont ensuite préparé un projet indépendamment de tout engagement et ils l'ont présenté pour recueillir les critiques à partir desquelles ils remettraient leur ouvrage à l'étude ; puis ils ont présenté un nouveau projet et ainsi de suite jusqu'au moment où ils jugèrent ne pas pouvoir faire mieux. Au bout de treize jours — et quelque vingt-trois projets — ils disposaient enfin d'un texte qu'ils étaient en mesure de recommander ; quand le président Carter le soumit aux deux pays, Israël et l'Égypte l'acceptèrent. Ainsi fut limité le nombre des décisions à prendre, et les parties en présence n'eurent pas l'occasion de durcir leurs positions. Cette technique donna toute satisfaction.

La procédure à texte unique facilite le travail entre deux parties qui font appel à un médiateur. Elle constitue un élement quasi essentiel dans les grandes conférences. Cent cinquante nations, par exemple, ne peuvent pas discuter de cent cinquante projets différents d'une manière constructive ; il leur est impossible de faire des concessions subordonnées aux concessions de chacune d'entre elles ; elles doivent simplifier le processus du choix des solutions : pour atteindre leur objectif, elles peuvent s'en remettre à une procédure à texte unique.

Pour entamer cette procédure, il n'est d'ailleurs pas nécessaire d'attendre le consentement des autres ; il suffit de rédiger un projet et de solliciter les critiques à son sujet. Il suffit de lancer un jeu nouveau pour modifier celui de la négociation en cours ; et même si l'une des parties refuse de discuter directement avec l'autre, une troisième force pourra présenter un projet à la ronde.

Comment amener l'adversaire à jouer le jeu : l'affaire Agence Jones/Frank Turnbull.

L'exemple suivant est tiré de la vie réelle : il s'agit d'une négociation entre un propriétaire et son locataire. En l'étudiant, on pourra se rendre compte de la méthode à suivre pour traiter avec un adversaire qui rechigne à s'engager dans une négociation raisonnée ; cet exemple permet, en outre, de comprendre ce que nous voulons dire quand nous parlons de modifier le jeu en prenant l'initiative d'en entamer un nouveau.

L'affaire. Au mois de mars, Frank Turnbull a loué un appartement à l'Agence immobilière Jones pour 600 dollars par mois. Au mois de juillet, Frank et Paul, son colocataire, venaient de décider de déménager quand ils ont appris que l'appartement loué était soumis à un régime locatif particulier et que son loyer ne pouvait légalement dépasser la somme de 466 dollars par mois — soit 134 de moins que celui qu'ils avaient payé. Franck Turnbull, auquel cette histoire de loyer trop cher ne plaît pas du tout, appelle Mme Jones à l'agence pour éclaircir la question. Au premier abord, Mme Jones se montre fermée et hostile. Elle proteste de sa bonne foi et reproche à Turnbull son ingratitude en l'accusant même de lui faire une sorte de chantage. Cependant, après plusieurs discussions fort longues, elle accepte de rembourser ses locataires ; elle finit par s'excuser et par leur témoigner plus de chaleur. Tout au long des discussions, Frank Turnbull utilise la méthode de la négociation raisonnée.

Nous présentons ci-dessous des extraits des dialogues qui se déroulèrent durant la négociation ; nous avons chapeauté chaque extrait avec une phrase-bateau qu'un négociateur objectif peut utiliser dans toute discussion de ce genre. Nous commentons ensuite, de manière à faire ressortir le mécanisme auquel il obéit et ses conséquences.

« Veuillez rectifier si je me trompe. »

TURNBULL : Je viens d'apprendre que notre appartement — veuillez rectifier si je me trompe — était soumis à un régime locatif particulier ; on nous a dit que le loyer légal maximum était de 466 dollars par mois. Est-ce que nous avons été mal informés ?

Commentaire. Le négociateur objectif doit, par définition, garder l'esprit ouvert aux raisonnements et aux critères objectifs. En traitant des faits prudemment, comme s'ils pouvaient être inexacts, et en demandant à Mme Jones de les rectifier s'il y a lieu, Turnbull établit un dialogue basé sur la raison. Il l'invite ainsi à participer, soit en acceptant les faits tels qu'il les présente, soit en les corrigeant. Par cette invitation, il en fait une collègue qui va se joindre à lui pour établir des faits : il n'y a pas de confrontation. Si Turnbull se contentait de lui présenter les informations qu'il a recueillies comme des faits avérés, son interlocutrice risquerait de se mettre sur la défensive parce qu'elle s'estimerait menacée : alors commencerait une discussion négative. D'un autre côté, si par hasard les faits avancés étaient faux, Turnbull, en évoquant cette possibilité dès le début, se réserve une porte de sortie, il ne risque pas de perdre la face comme s'il se présentait sûr de lui pour seulement apprendre qu'il a tort. Mme Jones, qui plus est, pourrait mettre en doute désormais tout ce qu'il va dire, et la discussion deviendrait difficile.

Une des constantes de la méthode objective consiste à garder l'esprit ouvert aux corrections et au raisonnement de la partie adverse.

« Nous vous sommes reconnaissants de tout ce que vous avez fait pour nous. »

TURNBULL : Paul et moi-même, nous savons bien que vous nous avez fait une faveur toute spéciale en consentant à nous louer cet appartement. Vous avez été vraiment gentille de vous occuper de nous et croyez bien que nous vous en sommes très reconnaissants.

Commentaire. C'est un des points fondamentaux : il faut donner à l'adversaire l'assurance de son appui personnel ; ainsi, pas de confusion entre les questions de personnes et le problème, la relation a bien sa place, tout à fait à part de la question conflictuelle. En exprimant à Mme Jones sa reconnaissance pour sa gentillesse, Turnbull, en fait, signifie : « Nous n'avons rien contre vous personnellement, nous pensons même que vous êtes une personne tout à fait honorable. » Il se met de son côté et lui permet de conserver sans inquiétude sa propre estime. Quand on félicite quelqu'un pour sa conduite passée et qu'on l'assure de son appui, on sous-entend qu'il va de soi qu'il restera à la hauteur ; Mme Jones, après ces louanges, éprouvera un léger intérêt pour ce que Turnbull pense d'elle ; elle a quelque chose à perdre et cela peut l'inciter à se montrer plus conciliante.

« Notre seul souci est de parvenir à une solution juste. »

TURNBULL : Nous voulons simplement savoir que nous n'avons pas payé un prix exagéré. Nous serons satisfaits une fois que nous aurons acquis la conviction que le loyer payé couvre la période pendant laquelle nous avons occupé l'appartement ; alors, nous serons quittes et nous partirons.

Commentaire. Turnbull énonce clairement le principe

objectif sur lequel il se fonde et manifeste la ferme intention de s'y tenir : s'il doit être convaincu, ce sera sur la base de ce principe. En même temps, il fait savoir à Mme Jones qu'il est tout prêt à se laisser persuader, toujours en vertu de ce principe. Ce faisant, il ne lui laisse guère d'autre choix que d'entrer dans son raisonnement à lui si elle veut défendre ses intérêts.

Turnbull n'utilise pas ce principe pour jouer les vertus offensées en jetant dans la balance tout le pouvoir dont il dispose. Ce ne sont pas seulement ses fins qui sont conformes au principe ainsi établi, mais aussi les moyens auxquels il envisage de recourir. Ses fins ? Que la somme acquittée corresponde bien au juste prix de l'appartement. S'il est convaincu que le loyer qu'il a versé correspond au temps qu'il a passé dans l'appartement, il déménagera aussitôt. Si, au contraire, les sommes versées sont excessives, il est juste qu'il demeure dans les lieux jusqu'à ce que l'équilibre soit rétabli.

« Nous aimerions régler ce litige sur la base d'un principe objectif sans recourir à la force et sans en faire une mesquine question d'intérêt personnel. »

MME JONES : Vous êtes mal venu de me parler de justice alors que tout ce que vous me dites, c'est que Paul et vous voulez de l'argent et que vous comptez vous servir du fait que vous occupez encore l'appartement pour nous l'extorquer. Je n'aime pas du tout cette façon de procéder et je vous assure que si j'en avais les moyens, je vous mettrais à la porte sur-le-champ.

TURNBULL (*maîtrisant visiblement sa colère*) : Je crains de ne pas m'être fait bien comprendre. Cela nous serait évidemment agréable à Paul et à moi-même de récupérer un peu d'argent. Et nous pourrions évidemment tenter de nous incruster dans les lieux jusqu'à ce que vous parveniez à nous faire signifier un congé. Mais là n'est pas la question, chère Madame.

Quelques dollars de plus sont moins importants à nos yeux que la certitude d'avoir été convenablement traités. Personne n'aime avoir le sentiment qu'on l'a trompé. Si nous cherchions l'affrontement et refusions purement et simplement de déménager, il faudrait porter l'affaire devant les tribunaux, perdre beaucoup de temps et d'argent ; bref, nous mettre dans une situation déplaisante au possible. Et ce serait la même chose pour vous. Qui parle de ça ?

Non, chère Madame, nous voulons traiter cette affaire en toute honnêteté, sur la base d'un critère objectif, sans en faire une question de pouvoir ni d'intérêt égoïste.

Commentaire. Mme Jones conteste l'idée de négocier sur la base d'un principe objectif. Elle n'y voit qu'un faux-semblant. C'est une affaire de volontés, sa volonté à elle étant de mettre à la porte ses locataires sur-le-champ. A ce moment, Turnbull a failli perdre son calme, et le contrôle de la situation par la même occasion. Il a envie de réagir en disant par exemple : « Il ferait beau voir que vous essayiez de nous mettre à la porte ! Nous plaiderons ! Nous ferons retirer votre licence ! » Dès lors, plus de discussion possible ; il aurait perdu son temps, son énergie et sa tranquillité d'esprit. Mais, au lieu de réagir, il garde son calme et remet la conversation à sa juste place. C'est un très bon exemple de négociation jiu-jitsu ; il détourne l'attaque de Mme Jones en acceptant la responsabilité du malentendu, puis il tente de la convaincre de sa sincérité quand il parle de son principe de justice. Il ne cherche pas à dissimuler ses intérêts personnels ni l'avantage qu'il a sur elle ; au contraire, il s'en explique clairement, et une fois que tout est clair à ce sujet, ce n'est plus la peine de s'en occuper, il peut s'attaquer au véritable problème.

Turnbull tente aussi de convaincre son interlocutrice du sérieux de la méthode de la négociation raisonnée en lui expliquant qu'il s'agit pour lui d'un code de conduite — c'est le jeu qu'il joue toujours. Et il ne cherche pas à se justifier en invoquant quelque haute valeur morale — toujours suspecte — mais au contraire en déclarant qu'il y trouve son intérêt.

« Ce n'est pas une question de confiance ! »

MME JONES : Vous ne me faites pas confiance ! Après tout ce que j'ai fait pour vous !

TURNBULL : Mais nous vous en sommes très reconnaissants ! Mais, en l'occurrence, ce n'est pas une question de confiance ! Nous voulons savoir si nous avons payé plus que ce que nous aurions dû, voilà la question. A votre avis, sur quel critère conviendrait-il de nous appuyer pour y répondre ?

Commentaire. Mme Jones tente de prendre Turnbull au piège : ou bien il continue de discuter et, dans ce cas, il démontre qu'il n'a pas confiance, ou bien il cède pour prouver sa confiance. Turnbull ne se laisse pas manipuler : il exprime une fois de plus sa gratitude, puis il élimine la question de la confiance comme hors de propos. Il réaffirme son estime pour Mme Jones tout en soutenant fermement son principe de base. Il ne se contente pas d'ailleurs d'éliminer la question mais il ramène directement la discussion sur son raisonnement quand il lui demande ce qui, pour elle, serait convenable de faire. Il s'en tient à son idée sans faire de reproches à son interlocutrice. Il ne lui dit jamais qu'elle est malhonnête, il ne dit pas : « Vous avez profité de nous ! », mais il demande sur un mode plus impersonnel : « Payons-nous plus que ce que nous devons ? » Même s'il n'a pas confiance en elle, il serait bien maladroit de lui en faire part. Elle se mettrait sans doute sur la défensive et monterait sur ses grands chevaux, ou bien elle pourrait s'accrocher à une position rigide et arrêter net la discussion.

On a, en tout cas, intérêt à disposer d'un certain nombre de phrases toutes prêtes comme : « Ce n'est pas une question de confiance » quand on veut échapper à des pièges du genre de cet appel à la confiance de Mme Jones.

« Est-ce que je pourrais vous poser quelques questions pour vérifier si mes informations sont exactes ? »

TURNBULL : Pourrais-je vous poser quelques questions pour vérifier si les informations qu'on m'a données sont exactes ?

Cet appartement est-il oui ou non soumis à un régime locatif particulier ?

Le loyer légal maximum est-il oui ou non de 466 dollars ?

Paul voudrait savoir si nous avons contrevenu à la législation en cours ?

Est-ce que quelqu'un l'a informé au moment de la

signature du bail que cet appartement était d'une catégorie spéciale et que le loyer légal était inférieur de 134 dollars à celui qu'il a accepté ?

Commentaire. La seule exposition des faits pourrait paraître menaçante : chaque fois que c'est possible, il vaut mieux poser des questions. Turnbull aurait pu dire : « Le loyer légal est de 466 dollars par mois. Vous avez contrevenu à la loi. Ce qui est pire, vous nous avez rendus complices de ce délit sans nous en informer. » Mme Jones aurait certainement réagi violemment à des assertions de ce genre, et les auraient écartées comme si c'étaient des attaques seulement destinées à marquer des points. Au contraire, il formule chaque information sous forme de question, permettant ainsi à son interlocutrice de participer, d'écouter, de peser chaque terme et de l'accepter ou de le rectifier. En fin de compte, Turnbull lui dit exactement la même chose mais d'une façon moins menaçante ; il minimise même la menace en attribuant une question particulièrement épineuse à son compagnon absent.

En fait, Turnbull amène Mme Jones à reconnaître les faits de base sur lesquels s'appuyer pour mettre au point une solution objective à leur différend.

« Quelles sont les raisons qui vous ont amenée à agir ainsi ? »

TURNBULL : Je n'ai pas bien compris pourquoi vous nous avez demandé 600 dollars. Quelles sont les raisons qui vous ont amenée à demander cette somme ?

Commentaire. Un négociateur raisonné ne doit jamais

accepter ni rejeter les positions de son adversaire. Pour que le dialogue reste objectif, Turnbull demande à Mme Jones les raisons qui l'ont poussée à prendre sa position. Il ne doit pas demander si elle a des raisons ; il va de soi qu'elle en a et de bonnes. Cette hypothèse flatteuse conduit l'adversaire à chercher des raisons, même s'il n'en a pas, conservant ainsi la négociation dans les limites du principe de base.

« Voyons si j'ai bien compris ce que vous avez dit. »

TURNBULL : Voyons si je comprends ce que vous dites. Vous pensez que le loyer que nous payons est tout à fait raisonnable parce que vous avez fait des réparations et des aménagements dans l'appartement depuis le dernier contrôle du service des loyers. N'aurait-il pas mieux valu demander à ce service une réévaluation avant de louer l'appartement ? Il est vrai que c'est uniquement pour nous rendre service que vous avez consenti à le louer. Et maintenant vous avez peur que nous ayons l'indélicatesse de nous incruster dans l'appartement pour vous soutirer de l'argent. Est-ce qu'il y a quelque chose qui m'a échappé ? Vous ai-je bien comprise ?

Commentaire. Pour négocier objectivement, il faut établir une bonne communication. Avant de répondre aux arguments de Mme Jones, Turnbull répète clairement ce qu'il a compris pour la convaincre que rien ne lui a échappé.

Une fois ceci bien établi, elle peut se détendre et discuter d'une manière constructive. Elle ne peut plus écarter les raisonnements de Turnbull sous prétexte qu'il ne tient pas compte de ses raisons à elle. Elle doit maintenant être en mesure d'écouter et sera sans doute plus réceptive. En résumant le point de vue de son interlocutrice, il l'unit dans son effort de compréhension. Ils auront tous deux la conviction qu'il a bien compris les faits parce qu'ils y auront travaillé ensemble.

« Puis-je revenir vous voir ? »

TURNBULL : Bien, maintenant que je pense avoir compris votre point de vue, j'aimerais parler de tout ça avec mon colocataire. Puis-je vous voir un moment demain ?

Commentaire. Un bon négociateur prend rarement une décision importante sur-le-champ. L'effort qu'il fait pour rester sympathique et conciliant lui demande une trop grande tension psychologique. Il vaut mieux qu'il prenne un peu de temps pour ne pas se laisser aller à confondre les questions de personne avec le conflit en cours. Il doit arriver à la table de délibération avec dans sa poche un prétexte valable pour s'en aller si c'est nécessaire ; un bon prétexte lui permettra de se lever sans qu'on l'accuse de manquer de dynamisme ni d'être incapable de prendre une décision.

Dans l'affaire qui nous occupe, Turnbull a l'air de savoir exactement ce qu'il va faire et c'est lui qui fixe le prochain rendez-vous : il démontre non seulement son dynamisme mais encore que c'est lui qui domine la situation. Une fois sorti, il va vérifier certains points et consulter son « mandant », Paul en l'occurrence. Il lui faut réfléchir à la décision qu'il va prendre et envisager toutes les possibilités.

Quand la discussion s'éternise, on risque d'user sa confiance à l'égard des vertus de la négociation raisonnée. Quand il reprendra les discussions avec un enthousiasme renouvelé, Turnbull sera de nouveau en mesure de se montrer ferme sur les principes mais conciliant avec la personne de son adversaire.

« J'aimerais discuter avec vous de certains points de votre raisonnement que j'ai du mal à suivre. »

TURNBULL : J'aimerais attirer votre attention sur certains points de votre raisonnement que j'ai du mal à suivre en ce qui concerne les 134 dollars de trop-perçu. D'abord les réparations et aménagements. L'inspecteur m'a appris qu'il aurait fallu engager pour 15 000 dollars de travaux pour justifier une augmentation mensuelle de 134 dollars. Combien ont coûté les travaux que vous avez fait faire ? En toute franchise, nous ne pensons pas, Paul et moi, que vous en ayez eu pour 15 000 dollars ! Le trou dans le linoléum que vous aviez promis de faire réparer ne l'a jamais été. Pas plus que celui du plancher de la salle à manger. La chasse d'eau est détraquée un jour sur deux et ce ne sont là que quelques-uns des petits défauts que nous avons relevés.

Commentaire. Dans une négociation raisonnée, il faut donner ses raisons avant de présenter sa solution ; si l'on commence par cette dernière, l'adversaire ne considère plus les raisons comme des critères objectifs sur lesquels on pourra fonder une argumentation satisfaisante ; elles ressemblent trop à des justifications apportées pour soutenir une décision prise arbitrairement. Turnbull, en présentant d'abord ses raisons, montre son ouverture d'esprit et son désir de convaincre Mme Jones. S'il avait immédiatement annoncé ses conclusions, son interlocutrice ne se serait certainement pas souciée d'écouter les motifs invoqués ensuite ; son esprit aurait été ailleurs, préoccupé des objections et des contre-propositions à présenter à son tour.

« Une solution raisonnable pourrait être... »

TURNBULL : Compte tenu de toutes nos discussions, une solution raisonnable, selon Paul et moi, serait de nous rembourser le montant du loyer que nous avons payé en trop. Est-ce que cela vous paraît juste à vous-même ?

Commentaire. Turnbull ne propose pas *sa* solution mais une solution raisonnable qui mérite un examen commun. Il ne prétend pas que ce soit la seule raisonnable mais *une* parmi les autres. C'est clair et net, mais il ne s'enferme pas dans une position qui attire le refus.

« En cas d'accord..., en cas de désaccord... »

TURNBULL : Si nous parvenons à nous mettre d'accord, nous déménagerons sur-le-champ. En cas de désaccord, l'inspecteur nous a au contraire conseillé de continuer à occuper l'appartement, et nous pourrions même envisager de porter l'affaire devant les tribunaux pour réclamer le remboursement du trop-perçu, voire une action en dommages et intérêts. Ni Paul ni moi-même ne sommes très chauds pour ce genre de solution ; nous restons persuadés que nous parviendrons à trouver une solution raisonnable avec vous, pour la plus grande satisfaction de tous.

Commentaire. Turnbull tente d'aider Mme Jones à accepter sa proposition sans trop de mal. C'est pourquoi il commence par indiquer très clairement qu'en donnant son accord, Mme Jones serait entièrement débarrassée de toute cette affaire. Reste à lui communiquer le point le plus délicat du message : lui faire connaître la solution de repli de ses deux locataires au cas où elle refuserait son accord. Il a besoin de la mettre au courant sans compromettre la négociation. Aussi base-t-il sa déclaration sur un principe objectif, en l'occurrence une autorité légale : l'inspecteur. Et il prend ses distances à l'égard de cette solution. Il se garde d'annoncer qu'il a pris une décision définitive à ce sujet. Il se contente d'évoquer une possibilité en mettant l'accent sur sa répugnance à prendre des mesures énergiques. Enfin, il conclut en réaffirmant sa confiance dans une issue favorable à tous.

Ni l'occupation de l'appartement ni le recours aux tribunaux ne représentent sans doute la MESORE de Turnbull. Paul et lui ont déjà loué un autre appartement, et ils aimeraient déménager le plus vite possible. Quant au procès, long et coûteux, à l'issue toujours incertaine, rien ne leur garantit que, l'ayant emporté, ils seraient en mesure de se faire payer par l'agence. Ils se contenteraient donc probablement de déménager en faisant une croix sur leurs 670 dollars — telle est certainement leur MESORE. Comme elle est moins attrayante que ce qu'imagine Mme Jones, Turnbull ne la lui révèle pas.

« Nous sommes à votre entière disposition pour déménager quand cela vous conviendra le mieux. »

MME JONES : Quand comptez-vous déménager ?

TURNBULL : A partir du moment où nous sommes d'accord sur le réajustement du loyer, nous sommes à votre entière disposition pour déménager à votre convenance. Qu'est-ce qui vous convient le mieux ?

Commentaire. Turnbull, qui pense que tous les deux peuvent gagner quelque chose dans cet accord, souligne sa volonté de servir les intérêts de Mme Jones. A vrai dire, il semble qu'ils aient l'un et l'autre un intérêt en commun : la libération de l'appartement le plus rapidement possible.

En faisant ressortir qu'il tient compte des intérêts de Mme Jones dans les termes mêmes de l'accord, il lui permet de sauver la face : d'un côté, elle peut être satisfaite parce qu'elle a choisi une solution raisonnable même si elle lui coûte de l'argent ; et, de l'autre côté, elle peut dire qu'elle a eu tôt fait de se débarrasser de ses locataires.

« Nous sommes enchantés d'avoir traité avec vous. »

TURNBULL : Chère Madame, Paul et moi vous sommes très reconnaissants de tout ce que vous avez fait pour nous, et je suis très heureux d'avoir pu régler ce problème à l'amiable et en toute justice.

MME JONES : Merci et bonnes vacances.

Commentaire. Turnbull clôt la discussion en adressant un mot amical à Mme Jones. Comme ils ont réussi à régler leur différend sans mettre en cause leur relation, ni l'un ni l'autre n'éprouve de sentiments de colère ou d'humiliation ; ils n'ont aucune intention de contester leur accord ou de ne pas le respecter. Ils ont, en réalité, gardé une bonne relation pour l'avenir.

Que l'on utilise la méthode de négociation raisonnée et de la négociation jiu-jitsu comme Frank Turnbull, ou que l'on fasse appel à une troisième force avec une procédure à texte unique, la conclusion reste la même : il est *possible* habituellement d'amener l'adversaire à se conformer également au jeu de la négociation raisonnée, même s'il semblait s'y refuser au départ.

8. Que se passe-t-il quand la partie adverse triche ou recourt à des moyens déloyaux ?

(comment dompter un négociateur coriace ?)

Tout cela est bien joli et la négociation raisonnée est une méthode remarquable, mais que se passe-t-il quand l'adversaire triche et tente, par tous les moyens, de désarçonner son vis-à-vis ? S'il ne cesse de réviser en hausse ses exigences chaque fois qu'on se croyait à deux doigts d'un accord ?

Il existe une foule de manœuvres et de tricheries qu'on peut utiliser pour tenter de prendre l'avantage. Tout le monde en connaît quelques-unes. Elles vont du mensonge et des vexations calculées aux diverses tactiques de pression. Elles peuvent être illégales, immorales ou simplement désagréables. Celui qui y a recours tente de prendre l'avantage sur le fond dans un affrontement de volonté en dehors de tout principe objectif. L'ensemble de ces manœuvres correspond à ce que nous appelons la négociation truquée.

Face à un négociateur de ce genre, les gens ne disposent le plus souvent que d'une ou deux attitudes. La plus répandue consiste à en prendre son parti. Surtout pas de vagues ! On laisse à l'adversaire le bénéfice du doute, ou bien l'on s'irrite et l'on se promet *in petto* de ne plus jamais traiter avec lui. Mais, sur le moment, puisqu'on est obligé d'en passer par là, on préfère se taire en se disant que ça finira bien par s'arranger. C'est ainsi que se comportent la plupart des gens. Ils cèdent dans l'espoir que leur vis-à-vis en sera amadoué et n'en demandera pas plus. Or, c'est bien rarement le cas. Quand Neville Chamberlain choisit de réagir de cette manière aux manœuvres de Hitler à Munich, il pensait éviter la guerre en cédant aux exigences croissantes du chancelier. On connaît la suite.

La seconde réaction classique à la négociation truquée consiste à répondre avec les mêmes armes. Si l'adversaire entame les négociations en plaçant la barre très haut, on riposte en lui faisant une offre ridicule. S'il triche, on triche. A la menace, on répond par la menace. S'il s'accroche à ses positions, on se retranche sur les siennes. En définitive, les deux adversaires sont contraints de céder ou, ce qui hélas ! se produit le plus souvent, la négociation en reste là.

La négociation truquée n'est pas recevable parce qu'elle contrevient au principe fondamental de la réciprocité. C'est une tactique à sens unique. Chaque adversaire l'utilise unilatéralement dans l'espoir que l'autre ne s'en apercevra pas ou sera contraint de s'en accommoder s'il en prend conscience.

Nous avons vu qu'affronté à un adversaire qui tire la couverture à lui *sur le fond*, il faut, pour réagir efficacement, lui demander de justifier sa proposition en énonçant le principe objectif sur lequel elle repose. La négociation truquée n'est jamais qu'une manière de tirer la couverture à soi *sur la forme*. On réagira donc en en faisant une question de procédure — quelle est la méthode de négociation choisie par les parties ? Et l'on entamera donc une négociation raisonnée sur la procédure.

Comment discuter des règles de la négociation.

Cette discussion particulière comporte trois étapes : si l'adversaire donne l'impression de jouer un jeu truqué, il faut commencer par identifier sa tactique, ensuite lui dire explicitement qu'on a compris le jeu qu'il joue et enfin en discuter avec lui la légitimité et l'intérêt objectif, c'est-à-dire entreprendre de négocier *à ce sujet*.

Pour être en mesure de réagir, il faut évidemment apprendre à reconnaître ce qui se passe, détecter certains pièges qui sont la marque de la tricherie, les phrases et les attitudes propres à mettre mal à l'aise, par exemple, ou encore celles qui sont destinées à enfermer le vis-à-vis dans une position. Souvent, il suffit de surprendre la manœuvre pour la neutraliser. Quand l'adversaire recourt à des attaques personnelles dans le but de fausser le jugement de ses vis-à-vis, par exemple, ces derniers n'ont qu'à s'en rendre compte pour que l'arme du tricheur fasse long feu.

Une fois identifiée la tactique, reste à soulever explicitement la question en face de l'adversaire : « Dis donc, Joe, je me trompe peut-être totalement, mais j'ai bien l'impression que Ted et toi vous me faites le coup du bon et du méchant. Si vous avez besoin tous les deux d'une petite pause pour régler les affaires entre vous, il suffit de le demander ! » Parler ouvertement de ces manœuvres en diminue l'efficacité ; de plus, l'adversaire peut se rendre compte qu'il risque de perdre tout crédit auprès de nous. Il suffit souvent d'aborder le problème pour qu'il cesse d'utiliser une tactique truquée.

Mais en dénonçant ces pratiques franchement, on arrive

surtout à discuter des règles de la négociation. C'est la troisième étape : la discussion est centrée sur la procédure au lieu de l'être sur l'objet du différend, mais le but poursuivi reste toujours un accord judicieux, efficace et conclu à l'amiable. Il n'y a donc pas de surprise, la manière de procéder reste la même : traiter séparément les questions de personnes et de fond, ne pas se préoccuper des positions mais concentrer son attention sur les intérêts, imaginer des solutions procurant un bénéfice mutuel, exiger un critère objectif.

En dernier recours il faut se résoudre à mettre en pratique sa MESORE et quitter la négociation : « J'ai l'impression que discuter, comme nous avions ensemble résolu de le faire pour aboutir à un résultat, ne vous intéresse pas. Je vous laisse mon numéro de téléphone ; si mon impression est fausse, je suis à votre disposition pour vous rencontrer quand vous voulez. En attendant, nous poursuivrons devant les tribunaux. » Si l'on possède à l'évidence de bonnes raisons de partir — ceux de la partie adverse ont fait délibérément de fausses déclarations ou ont menti sur la portée de l'autorité dont ils sont investis — et si, de l'autre côté, les adversaires ont un réel intérêt à conclure un accord, ils appelleront sûrement pour reprendre les discussions.

Quelques tactiques déloyales couramment utilisées.

On peut les diviser en trois catégories : le mensonge délibéré, la guerre psychologique et les pressions. Pour bien faire, il faudrait être préparé à réagir aux trois. Nous présentons, ci-dessous, une liste avec pour chacune des manœuvres déloyales la riposte d'un négociateur objectif.

Le mensonge délibéré. Donner de faux renseignements sur des faits, sur l'autorité dont on est investi ou sur ses intentions, c'est la forme la plus courante des tactiques déloyales.

Les faux renseignements. Le truc le plus éculé consiste évidemment à faire en toute connaissance de cause une déclaration mensongère : « Cette voiture a 8 000 kilomètres au compteur. Elle appartenait à une vieille dame de la campagne qui ne dépassait jamais le 60. » On risque fort de se laisser prendre à ce genre de « renseignements ». Que faut-il faire ?

Une fois encore, traiter séparément la personne et la question débattue. A moins d'avoir de fort solides raisons de le faire, il ne faut jamais croire les gens sur parole. Ce qui ne signifie pas qu'on doive les traiter de menteurs. Mieux vaut ne pas faire entrer la confiance en ligne de compte. Et ne pas laisser l'interlocuteur transformer nos doutes en attaques personnelles. A-t-on jamais vu un horloger ou un garagiste remettre une montre ou une voiture à un client inconnu qui déclare posséder de l'argent à la banque ? De même qu'un vendeur s'informera automatiquement de la solvabilité d'un client (« Il y a tellement de gens en qui on ne peut pas avoir confiance, de nos jours ! »), de même doit-on refuser de prendre les déclarations de l'adversaire pour argent comptant. Si les adversaires savent que l'on vérifie systématiquement tous les renseignements qu'ils fournissent, ils seront moins tentés de mentir et l'on risquera moins d'être victime d'un mensonge.

L'autorité mal définie. Il peut arriver que les représentants de la partie adverse laissent croire à leur vis-à-vis qu'ils ont, comme lui, un mandat qui leur confère toute latitude de prendre des engagements alors qu'ils ne l'ont pas en réalité. Après avoir lutté pied à pied avec eux et fini par obtenir ce qui paraît être un engagement ferme, on apprend qu'ils doivent solliciter l'avis d'une autre personne. C'est une manœuvre qui leur permettra de repartir à l'attaque d'un sang neuf. Il ne faut pas se laisser placer dans une telle situation car si l'on est le seul à pouvoir faire des concessions, on sera logiquement le seul à en faire quand l'interlocuteur qu'on a en face de soi n'est pas obligatoirement celui qui prend les décisions dans son camp. Un courtier en assurances, un avocat ou un représentant de commerce donneront peut-être l'impression d'avoir les mains aussi libres que leur vis-à-vis, mais ce dernier se rendra compte plus tard que ce qu'il pensait être un accord ferme n'était, pour la partie adverse, que la base d'une négociation ultérieure. Avant le début de tout échange, il faut se renseigner sur l'autorité réelle de son vis-à-vis. Il n'y a aucun mal à demander : « Quel est votre pouvoir de décision dans cette affaire ? », et si la réponse reste évasive, on a le droit d'exprimer le désir de s'entretenir avec le véritable responsable, ou d'affirmer haut et clair que l'on se réserve, avec ses partenaires, une liberté égale à celle de la partie adverse, pour reconsidérer les points débattus.

Si ceux de la partie adverse annoncent inopinément qu'ils considèrent que ce que l'on prenait pour un accord n'est pour eux que la préparation à une discussion qui aura lieu plus tard, il faut exiger la réciprocité : « D'accord ! Nous considérerons donc que le projet que nous avons élaboré ensemble ne nous engage ni les uns ni les autres. Vérifiez-le avec votre patron, moi je vais dormir dessus et voir s'il y a quelques modifications que je pourrais y apporter d'ici demain. » Ou encore : « Si votre patron approuve ce projet, je m'y tiendrai. Dans le cas contraire, nous serions libres l'un et l'autre de proposer des améliorations. »

Les intentions sujettes à caution. Quand on n'est pas sûr que l'adversaire respectera ses engagements, on peut mettre au point des amendements. Imaginons un avocat représentant la femme dans un jugement de divorce. Sa cliente est persuadée que son mari ne paiera pas régulièrement la pension de ses enfants malgré l'accord qu'il a signé à ce sujet. Elle craint de n'avoir ni la force ni le temps de recourir au tribunal chaque mois. Que peut faire l'avocat ? Exposer le problème au confrère qui a défendu le mari et profiter des protestations qu'il va élever pour prendre des garanties. Il dira par exemple : « Écoutez, ma cliente a peur que son mari ne lui paie pas régulièrement la pension des enfants. Est-ce qu'elle ne pourrait pas avoir des parts dans la maison plutôt que des paiements mensuels ? » L'avocat de la partie adverse répondra certainement : « Mon client est parfaitement digne de confiance. Nous n'avons qu'à lui demander de signer un engagement de payer régulièrement cette pension. » Ce qui entraînera la réplique suivante : « Ce n'est pas une question de confiance mais êtes-vous absolument sûr qu'il paiera ? — Absolument ! — Votre tête à couper ? — Ma tête à couper ! — Pourquoi, dans ce cas, ne pas ajouter une clause à notre accord ? Votre client va signer pour payer la pension. Bien ! Mais, si pour une raison inexplicable, et selon vous inconcevable, il oubliait d'effectuer deux paiements, ma cliente toucherait des parts dans la maison (une fois déduit, évidemment, le montant des sommes déjà versées) ; ainsi votre client n'aurait plus à se soucier de ce problème de pension. » L'avocat du mari aura du mal à repousser cette proposition.

Ne pas confondre tricher et cacher une partie de son jeu. On ne peut comparer le fait de mentir de propos délibéré sur des faits ou sur ses intentions avec celui de ne pas révéler toute sa pensée ; rien n'oblige un négociateur de bonne foi à dévoiler tout son jeu. A celui qui demande : « Quel est le prix maximum que vous pouvez payer ? », mieux vaut répondre sans doute : « Vous me tendez vraiment une trop belle perche pour vous raconter des histoires ! Si vous pensez que nous ne pourrons pas nous entendre, au lieu de perdre notre temps, peut-être vaudrait-il mieux nous confier l'un et l'autre à une tierce personne digne de confiance ; elle nous dirait si elle voit une quelconque possibilité d'accord entre nous ? » En répondant de cette façon, on parle du sujet en toute innocence sans en rien révéler.

La guerre psychologique.

Le but de ces tactiques est de mettre les gens si mal à l'aise que, même sans s'en rendre compte, ils auront envie de terminer le plus vite possible les discussions.

Les situations angoissantes. On a beaucoup écrit sur l'organisation matérielle des négociations. On peut être sensible à des questions de relative importance comme celle du lieu où se dérouleront les discussions : chez soi, chez l'adversaire, en terrain neutre ? Contrairement à ce que l'on croit généralement, il est parfois préférable d'accepter de rencontrer ceux de la partie adverse sur leur propre terrain ; ils seront plus à l'aise, peut-être plus ouverts à nos suggestions et, si besoin est, on sera plus facilement en mesure de se retirer. En tout cas, si l'on est obligé de se conformer au choix de l'adversaire, il faut savoir exactement quel est ce choix et quelles en seront les conséquences : l'endroit choisi est-il trop bruyant ? Éprouve-t-on une sensation de gêne ? Pourquoi ? La température est-elle trop élevée ou trop basse ? Y a-t-il ou non une petite salle prévue pour nous permettre des apartés avec nos partenaires ? Il faut vérifier qu'il ne s'agit pas d'une mise en scène préparée pour donner l'envie d'en finir au plus vite, quitte à faire certaines concessions.

Si l'on est gêné par l'environnement, on doit le dire sans hésiter, en suggérant par exemple de changer les fauteuils, de faire une pause, ou de remettre à plus tard, le temps de trouver un autre lieu de réunion. Il faut chaque fois chercher les raisons de la gêne que l'on éprouve, en parler ensuite avec l'adversaire et discuter objectivement et raisonnablement pour obtenir de meilleures conditions matérielles de négociation.

Les attaques personnelles. Outre l'utilisation retorse du cadre matériel, il existe diverses formes de communication, verbales ou non, pour placer ses vis-à-vis dans une situation inconfortable : les commentaires sur leurs vêtements ou leur apparence physique par exemple : « On dirait que vous n'avez pas fermé l'œil de la nuit, ça ne va pas au bureau en ce moment ? » ; les manœuvres destinées à les mettre en état d'infériorité, en les faisant attendre à un rendez-vous ou en interrompant brusquement les négociations pour s'occuper d'autre chose ; les suppositions malveillantes, montrant qu'on considère son interlocuteur comme un ignorant ; le refus systématique de l'écouter pour le contraindre à répéter ce qu'il vient de dire ; voire le simple fait de ne jamais le regarder dans les yeux (des expériences très simples avec nos étudiants nous ont confirmé l'état de malaise dans lequel cette attitude peut plonger les gens, malaise souvent augmenté du fait qu'ils sont incapables d'en discerner clairement la cause). Dans chacun de ces cas, on peut annuler les effets de ces techniques en prenant conscience de leur utilisation ; et si l'on en parle ouvertement à son adversaire, il hésitera, sans doute, à y recourir de nouveau.

La tactique du bon et du méchant. La tactique du bon et du méchant est une forme de pression psychologique qui s'apparente également à la tricherie. Elle est utilisée dans toute sa splendeur dans les vieux films policiers : un inspecteur menace le suspect de le faire condamner pour une foule de crimes, braque sur lui une lumière éblouissante et le bouscule avant de quitter la pièce ; le « bon » intervient alors, détourne la lumière, lui offre une cigarette et s'excuse pour la brutalité de son collègue ; il dit qu'il aimerait l'empêcher d'être brutal mais que c'est difficile à moins qu'il ne se montre coopératif. Résultat de la manœuvre : le suspect avoue tout ce qu'il sait.

Au cours de certaines négociations, deux partenaires peuvent agir de même en simulant une dispute ; l'un fera montre d'intransigeance : « Je veux 8 000 dollars pour ces livres, pas un cent de moins », tandis que son compagnon paraîtra gêné et un peu embarrassé pour dire : « Allons, Frank ! Sois raisonnable ! Après tout ces livres ont déjà deux ans même si personne n'y a touché ! », et se tournant vers le client, il dira sur un ton conciliant : « Est-ce que vous pourriez aller jusqu'à 3 800 dollars ? » Il ne fera pas une bien grande concession, mais il aura l'air de faire un cadeau !

Cette tactique est une forme de manipulation psychologique. Si on la décèle, on ne peut pas s'y laisser prendre ;

quand le bon fait son boniment, il suffit de lui poser la même question que celle que l'on a posée au méchant : « Vous êtes très aimable et j'apprécie votre intervention, mais je persiste à me demander pourquoi vous en voulez ce prix. Sur quoi vous basez-vous pour le calculer? Je suis prêt à payer même 8 000 dollars si vous me démontrez que c'est le prix le plus convenable. »

Les menaces. Proférer des menaces est une des manœuvres déloyales les plus courantes de la négociation. Une menace ne semble pas difficile à faire — beaucoup moins en tout cas qu'une offre — seulement quelques mots, et, quand elle prend, on n'est jamais obligé de la mettre à exécution. Mais une menace risque d'en entraîner d'autres et l'escalade peut déséquilibrer une négociation, parfois même détruire une relation.

Les menaces appartiennent à la catégorie des pressions psychologiques. Ces dernières donnent fréquemment tout le contraire de ce que l'on en attendait ; au lieu de le désarçonner, elles risquent de raffermir l'adversaire. Au lieu de faciliter une décision de sa part, elles rendent les choses plus compliquées : les membres d'un syndicat, d'une collectivité, d'une société commerciale ou d'un gouvernement resserreront leurs rangs pour réagir contre une pression étrangère ; on verra les colombes s'unir aux faucons pour résister à ce qui leur semblera une tentative déloyale de coercition. La question cesse en effet d'être celle d'une décision à prendre pour devenir : « Faut-il ou non passer sous les fourches caudines ? »

Les bons négociateurs ne recourent pratiquement jamais aux menaces. Ils n'en ont pas besoin, ils utilisent d'autres moyens pour communiquer les mêmes messages. S'il leur paraît nécessaire de brosser un tableau de ce que va entraîner l'attitude de leur adversaire, ils parleront des conséquences qui sont indépendantes de leur volonté plutôt que de celles qu'ils pourraient choisir pour les convaincre. Ils donneront des *avertissements*, beaucoup plus justifiés que des menaces toujours sujettes à représailles : « Si nous n'arrivions pas à nous entendre, j'ai bien peur que les journaux ne publient toute cette horrible histoire. Étant donné l'importance que cette affaire revêt pour le public, je ne vois pas comment nous pourrions étouffer l'information. Qu'en pensez-vous ? »

Pour que des menaces aient toute leur force, il faut qu'elles soient crédibles ; on peut parfois se mettre en travers de ce projet, en les ignorant, en faisant comme si c'était des paroles en l'air, dénuées de tout fondement, ou tout simplement hors de propos.

On peut aussi établir clairement que celui qui profère des menaces le fait à ses risques et périls. L'un des auteurs a dernièrement eu l'occasion d'intervenir comme médiateur dans une mine de charbon victime d'une campagne d'alertes à la bombe, fausses mais coûteuses, puisque entraînant chaque fois l'évacuation du personnel. Le nombre de ces mauvaises plaisanteries diminua spectaculairement à partir du jour où la standardiste de la société prit l'habitude de commencer toutes les communications par ces mots : « Cet appel est enregistré sur magnétophone — quel numéro demandez-vous ? »

Il arrive que des menaces puissent conférer un avantage politique à celui contre qui elles sont proférées. Un syndicat pourra toujours déclarer à la presse : « La direction dispose de si peu d'arguments qu'elle est contrainte d'avoir recours aux menaces. » Mais une fois encore la négociation raisonnée constitue peut-être la meilleure réaction possible face aux menaces. « Nous avons préparé une série de ripostes pour chacune des menaces dont la direction est coutumière. Toutefois, nous attendrons pour agir de voir si nous ne pouvons pas plutôt nous mettre d'accord sur l'idée que l'attitude qui consiste à proférer des menaces n'est guère constructive. » Ou encore : « J'ai pour principe de négocier toujours objectivement. Ma réputation est fondée sur le fait que je ne réponds jamais aux menaces. »

La stratégie de la pression dans la négociation de position.

Cette stratégie consiste à placer d'emblée l'adversaire dans une position où lui et lui seul sera en mesure de faire des concessions.

Le refus de négocier. Lors de la prise d'otages de l'ambassade des États-Unis à Téhéran en novembre 1979, le gouvernement iranien énonça une série d'exigences et déclara qu'il refusait de négocier. Chez les avocats, c'est une pratique assez courante : on se contente de dire au conseil de la partie adverse : « Rendez-vous dans la salle d'audience. » Que faire lorsque la partie adverse refuse purement et simplement de négocier ?

Pour commencer, s'assurer qu'il ne s'agit pas en fait d'un stratagème : le refus de négocier peut constituer un premier argument pour obtenir d'emblée une concession sur le fond. Une variante de ce stratagème consiste à poser une série de préalables à l'ouverture des négociations.

Ensuite, parler avec l'adversaire de son refus de négocier. On peut communiquer soit directement, soit par l'intermédiaire d'un tiers. Plutôt que d'attaquer l'adversaire sur son refus de négocier, on s'attachera à découvrir l'intérêt qu'il a à refuser. Craint-il de vous conférer une certaine respectabilité en acceptant la négociation ? Craint-il de passer pour un « mou » s'il accepte d'entamer des négociations ? L'adversaire redoute-t-il de voir la négociation remettre en cause son propre équilibre interne et une unité qu'il juge précaire dans son camp ? Ou croit-il tout simplement un accord impossible ?

On tentera de proposer d'autres solutions, par exemple la négociation par le truchement de tiers, un échange de lettres, ou encore l'intervention officieuse de personnes privées, des journalistes par exemple, qui discuteront avec l'adversaire des questions qui se posent (comme cela se produisit dans l'affaire iranienne).

Pour finir, insister sur les principes. Est-ce l'attitude à laquelle l'adversaire lui-même aimerait se heurter ? Que ferait l'adversaire si on lui retournait le compliment en établissant une liste de contre-préalables à la négociation ? Quels sont les principes qui, selon l'adversaire, devraient s'appliquer à la situation ?

Les exigences extrêmes. On l'a dit, les négociateurs sont souvent tentés de commencer par des propositions extrêmes, d'offrir par exemple 75 000 dollars pour une maison qui en vaut apparemment 100 000. Le but est évidemment de doucher les espoirs de la partie adverse. Il y a aussi l'idée que, plus on aura placé haut la barre dès le début, meilleurs seront les résultats finals, parce que les parties en présence finiront par couper la poire en deux pour se rencontrer à mi-chemin des propositions initiales des uns et des autres. Ce genre de démarche ne va pas sans présenter de graves inconvénients, même pour les négociateurs les plus retors. Pour commencer, en posant d'emblée une exigence dont chacun sait qu'elle sera abandonnée, on prend le risque d'entamer sa propre crédibilité. On risque plus simplement de faire capoter l'affaire qu'on se proposait de réaliser ; leur offre de départ est ridicule, ne perdons pas de temps avec eux.

C'est en attirant sur elle l'attention de ceux qui recourent à cette stratégie qu'on obtiendra ici les meilleurs résultats. En demandant qu'ils justifient les principes qui président à leur attitude, on finit par leur en faire toucher du doigt le ridicule.

Les exigences sans cesse croissantes. Il arrive qu'un négociateur augmente ses exigences sur un point chaque fois qu'il fait des concessions sur un autre. Il peut aussi relancer une question que l'on croyait réglée. Les bénéfices escomptés par les utilisateurs de cette stratégie sont doubles : d'une part, elle leur permet d'équilibrer en baisse le total des concessions qu'ils consentent ; de l'autre, elle produit un effet psychologique sur l'adversaire en lui faisant rechercher la conclusion la plus rapide possible d'un accord pour éviter l'apparition de nouvelles exigences.

Le premier ministre de Malte a eu recours à cette stratégie lors des négociations qu'il eut avec la Grande-Bretagne en 1971 à propos des bases navales et aériennes que cette dernière possédait dans l'île. Chaque fois que la Grande-Bretagne pensait avoir abouti à un accord sur le prix de concession de ces bases, il disait : « Nous sommes bien d'accord, certes, mais un petit problème subsiste. » Et le petit problème se révélait l'exigence d'un crédit immédiat de 10 milliards de livres ou la garantie de l'emploi pour les Maltais employés sur les bases ou dans les chantiers navals pendant toute la durée de la concession.

Quand on aura constaté une telle attitude chez l'adversaire, on commencera par attirer son attention sur elle puis on pourra demander l'ajournement des pourparlers qu'on mettra à profit pour réexaminer sa propre position : est-on oui ou non prêt à reprendre la négociation et sur quelle base ? On évite ainsi toute réaction impulsive tout en attirant l'attention du vis-à-vis sur la gravité de son comportement. Une fois encore, il faudra insister sur l'adoption d'un principe objectif et raisonné. Si la négociation reprend et que l'adversaire a réellement intérêt à la conclusion d'un accord, il se montrera certainement plus sérieux.

Les stratégies de blocage. Pour les illustrer, nous aurons recours à l'exemple bien connu imaginé par Thomas Schelling : deux camions chargés de dynamite foncent en sens inverse sur une voie unique. Lequel des deux camionneurs quittera la route afin d'éviter la collision ? Quand les deux camions ne sont plus qu'à une courte distance l'un de l'autre, le chauffeur de l'un, sous les yeux horrifiés de l'autre, arrache son volant et le jette par la fenêtre. L'alternative devient simple : le second camionneur a le choix entre la collision et le risque de jeter son camion au fossé. C'est là un exemple de l'attitude qui consiste à prendre des engagements tels qu'on est dans l'incapacité de céder un pouce de terrain. D'une manière paradoxale, on renforce sa capacité de marchandage en se privant de la maîtrise de la situation.

C'est une stratégie couramment employée dans les négociations internationales et dans les conflits syndicaux. Le dirigeant syndical commence par prononcer un discours enflammé dans lequel il promet à sa base que jamais il n'acceptera une augmentation inférieure à 15 %. Puisqu'il risque désormais de perdre la face et la confiance de ses mandants, il sera en meilleure position pour convaincre le patronat qu'il doit accorder les 15 % demandés.

Mais ces techniques de blocage sont autant de paris. On peut toujours considérer que la partie adverse bluffe et la contraindre à une concession qu'elle aura du mal à expliquer à ses mandants.

Comme les menaces, les tactiques de blocage reposent sur la communication. Si le second chauffeur n'a pas vu le volant tomber par la fenêtre, ou s'il pense que son vis-à-vis dispose d'une direction de secours en cas d'urgence, le fait d'avoir jeté le volant par la fenêtre ne produira évidemment pas l'effet recherché. La nécessité d'éviter la collision sera ressentie de la même manière et au même titre par les deux camionneurs.

L'une des ripostes à ce genre d'attitude pourra donc consister en une interruption de la communication. On peut par exemple interpréter l'engagement pris par l'adversaire de manière à l'affaiblir : « Je vois, je vois. Vous avez déclaré aux journaux que votre *objectif* était d'aboutir à un accord pour 200 000 dollars. Ma foi, il est permis de rêver. Voulez-vous que je vous dise ce que sont mes rêves à moi ? » On peut aussi lancer une plaisanterie et montrer ainsi qu'on ne prend pas le blocage au sérieux.

Mais il est possible de résister sur la base des principes : « Je comprends fort bien la position dans laquelle vous vous êtes placé en faisant cette déclaration publique. Mais j'ai pour principe de ne jamais céder aux pressions et de ne m'incliner que devant la raison. Discutons donc des aspects objectifs du problème qui se pose à nous. » Quoi qu'on fasse, il faudra éviter de faire de l'engagement pris par l'adversaire le centre de la discussion. Il faudra au contraire se montrer le plus discret possible à cet égard de manière à laisser au vis-à-vis la possibilité de revenir sur ses déclarations sans avoir l'air de se déjuger.

Le coup du partenaire têtu. L'une des tactiques les plus couramment utilisées par les négociateurs qui refusent de céder aux demandes de leur adversaire consiste à se réfugier derrière un partenaire présenté comme intraitable. « Personnellement, je n'ai pas d'objection à vous accorder satisfaction, votre demande est tout à fait raisonnable, j'en conviens volontiers, mais jamais ma femme n'acceptera. »

Il faut savoir reconnaître cette technique. Plutôt que de discuter avec le négociateur qui se présente comme conciliant, on lui demandera son accord sur le principe en question par écrit si possible — et l'on ira ensuite parler directement avec la personne présentée comme intraitable.

La temporisation. Il est fréquent qu'une des parties en présence tente de reporter la conclusion d'un accord à une date ultérieure jugée plus favorable. Les représentants syndicaux tenteront ainsi de faire durer la discussion jusqu'à l'expiration du préavis de grève, comptant sur la tension psychologique ainsi créée pour rendre le patronat plus malléable. S'ils se trompent dans leurs calculs, la grève commence avant qu'un accord ait été conclu, et c'est alors le patronat qui sera tenté de temporiser, attendant par exemple pour négocier que le fonds de solidarité du syndicat soit épuisé. On voit qu'il y a de gros risques à attendre ainsi « le moment propice ».

Non content d'expliciter les manœuvres dilatoires de l'adversaire et d'en faire l'un des objets de la négociation, on pourra aussi avec profit envisager de lui faire sentir qu'il risque de laisser passer la chance. Le représentant d'une firme engagée dans des pourparlers devant aboutir à une fusion avec une autre entreprise pourra ainsi en contacter une troisième et envisager de fusionner plutôt avec elle. On recherchera aussi les critères objectifs permettant de fixer des dates limites, échéance d'un terme, expiration d'un contrat, fin d'une session parlementaire, etc.

« C'est à prendre ou à laisser. » Il n'est pas mauvais par nature de placer la partie adverse en face d'un choix tranché. A vrai dire, c'est de cette manière que sont conduites la plupart des affaires. Quand on va au supermarché acheter une boîte de conserve étiquetée 1 dollar, on ne tente pas de négocier avec le gérant. C'est une manière parfaitement efficace de mener ses affaires, mais il ne s'agit pas de négociation. Il ne s'agit pas d'une prise de décision résultant d'une interaction. Il n'est pas plus répréhensible, après de longues négociations, d'en arriver au point où l'on souhaite les interrompre en déclarant à l'adversaire : « C'est à prendre ou à laisser. » On pourra toutefois trouver une formulation plus courtoise.

Plutôt que de reconnaître pour ce qu'elle est la tactique du « c'est à prendre ou à laisser » quand un adversaire y a recours et plutôt que de tenter de négocier sur cette base, on pourra envisager de faire comme si de rien n'était, du moins au début. On continuera à parler comme si on n'avait pas entendu, on changera de sujet, on proposera de nouvelles solutions. Si l'on choisit d'aborder le problème de front, on tentera de montrer à la partie adverse tout ce qu'elle a à perdre si l'accord ne se fait pas et on cherchera à lui offrir un moyen de sauver la face, par exemple en modifiant les conditions de l'accord pour lui permettre de réviser sa position sans en avoir l'air. Ainsi le syndicat pourra-t-il répondre au patronat, quand ce dernier aura formulé son offre définitive : « D'accord, vous ne pouviez pas offrir plus de 3,5 %, mais c'était avant que nous vous proposions de collaborer avec vous pour tenter de trouver des moyens d'augmenter la productivité. »

Refuser d'être une victime.

Il est souvent difficile de fixer les limites de la « bonne foi » dans une négociation. Elles varient selon les gens. On se facilitera peut-être la tâche en se posant les questions suivantes : Est-ce une démarche que j'adopterais en face d'un ami ou d'un membre de ma propre famille ? Si la totalité de ce que j'ai dit et fait était rendue publique, dans la presse par exemple, est-ce que j'en éprouverais de la gêne ? Dans un livre ou une pièce de théâtre, une telle conduite conviendrait-elle mieux au héros ou au méchant ? Il ne s'agit pas tant de solliciter l'opinion du monde extérieur que de s'en servir pour mettre en lumière ses propres critères de valeur. En dernier ressort, c'est à chacun de décider s'il estime pouvoir recourir à des méthodes qui lui paraîtraient condamnables et de mauvaise foi si elles étaient utilisées contre lui.

Pour entamer une négociation on pourra utilement recourir à la déclaration suivante : « Ce que j'ai à dire vous paraîtra peut-être inhabituel mais j'aimerais connaître la règle du jeu que nous allons jouer. Sommes-nous, les uns et les autres, à la recherche d'un accord judicieux auquel nous désirons aboutir le plus vite possible et sans trop d'efforts ? S'agit-il, au contraire, d'une foire d'empoigne, d'un marchandage acharné dans lesquels c'est le plus obstiné qui a toutes les chances de l'emporter ? » Dans tous les cas il faudra être prêt à faire face aux coups bas et aux stratagèmes. On peut toujours se montrer aussi ferme que l'adversaire, voire plus ferme. Il est en effet plus facile de défendre des principes objectifs que de justifier des tactiques malhonnêtes. Refusez d'être une victime.

En conclusion : trois remarques

« Je le sais depuis toujours. »

Le livre qu'on vient de lire ne contient probablement rien de nouveau, rien que le lecteur n'ait eu l'occasion de rencontrer à un moment ou un autre de sa vie. Nous nous sommes seulement proposé d'organiser, dans un cadre utilisable pour penser et agir, ce que le bon sens et l'expérience commune mettent à la portée de chacun de nous. Plus ces idées seront en accord avec les connaissances et l'intuition du lecteur, plus elles lui seront profitables. En enseignant notre méthode à des avocats confirmés et à des hommes d'affaires possédant des années d'expérience, nous nous sommes souvent entendu dire : « Je comprends maintenant ce que je faisais et pourquoi cela marchait parfois. » Ou encore : « Je savais que ce que vous disiez était vrai parce que je le savais déjà. »

C'est en forgeant qu'on devient forgeron.

Un livre peut mettre le lecteur sur la ligne de départ en lui indiquant une bonne direction. En le rendant conscient de certaines idées et conscient de ce qu'il fait, il peut l'aider à apprendre.

Mais pour devenir adroit et compétent, on ne peut compter que sur soi-même. En lisant le manuel d'entraînement des fusiliers marins, personne n'a jamais acquis un gramme de muscle. Les manuels de natation, de tennis, de bicyclette n'ont jamais fait les champions de ces disciplines. Il en va de même de la négociation.

« Gagner. »

Demander à un négociateur « alors, qui a gagné ? » est à peu près aussi déplacé que de poser la même question aux deux conjoints d'un ménage. La poser dans un ménage, c'est déjà avoir perdu l'essentiel — ne pas avoir su se mettre d'accord sur le jeu que l'on joue, sur la manière dont il convient d'aborder les questions d'intérêts concordants ou divergents.

Le sujet du présent livre c'est : comment « gagner » la plus importante de toutes les parties, celle qui consiste à mettre sur pied un meilleur système pour venir à bout de nos différends ? Meilleur, bien sûr, en cela qu'il permet d'aboutir à des résultats concrets ; car si l'emporter en faisant appel à des critères objectifs ne constitue pas le seul but envisageable, perdre n'est certainement pas non plus la solution. La théorie et l'expérience s'accordent en l'occurrence pour donner à penser qu'en utilisant la méthode de la négociation raisonnée, on aboutira à la longue à des résultats concrets aussi bons — sinon meilleurs — que ceux auxquels on pourrait prétendre en faisant appel à toute autre forme de négociation. La méthode devrait en outre se révéler plus efficace et moins dommageable aux relations humaines. Les auteurs ont toujours trouvé que leur méthode était d'une utilisation confortable et espèrent qu'il en ira de même pour le lecteur.

Mais cela ne signifie pas qu'il soit facile de changer ses habitudes pour apprendre à démêler les aspects objectifs et les aspects affectifs ou à inciter ses vis-à-vis à entrer dans une collaboration constructive destinée à élaborer une solution judicieuse à tel ou tel problème commun. De temps à autre, on serait peut-être bien avisé de se remémorer que la première chose qu'on se propose de « gagner » est une meilleure façon de négocier — une méthode qui évitera à ses utilisateurs d'avoir à choisir entre la satisfaction d'obtenir ce à quoi ils ont droit et celle d'avoir été corrects. Ces deux exigences ne sont pas contradictoires, on peut les satisfaire l'une et l'autre.

Post-scriptum : dix questions

Post-scriptum : dix questions à propos de *Comment réussir une négociation*

L'équité et la négociation raisonnée.

Question 1 : *Y a-t-il des cas où la négociation sur des positions se justifie ?*

Question 2 : *Que faire si l'autre partie croit à un critère d'équité différent ?*

Question 3 : *Doit-on se montrer équitable quand on n'y est pas obligé ?*

Les personnes.

Question 4 : *Que faire si les personnes elles-mêmes constituent le problème ?*

Question 5 : *Faut-il négocier avec des terroristes ou quelqu'un comme Hitler ? Y a-t-il des circonstances où il est préférable de* ne pas *négocier ?*

Question 6 : *Comment adapter son approche en fonction de la personnalité, du sexe, de l'environnement culturel de l'autre partie ?*

Les tactiques.

Question 7 : *Comment décider :*
- *du lieu de rencontre ?*
- *de l'initiative dans la négociation ?*
- *de la valeur de la première offre ?*

Question 8 : *Après avoir imaginé des solutions, quels sont les moyens concrets de s'engager ?*

Question 9 : *Comment tester ces suggestions sans prendre trop de risques ?*

Le pouvoir.

Question 10 : *La manière de négocier fait-elle réellement la différence face à une partie adverse plus puissante ? Comment devenir un négociateur plus puissant ?*

Dix questions

L'équité et la négociation raisonnée.

Question 1 : *Y a-t-il des cas où la négociation sur des positions se justifie ?*

La négociation sur des positions est facile, aussi n'est-il pas surprenant que les gens y recourent plus volontiers. Elle ne demande aucune préparation et elle est comprise partout (elle peut même se pratiquer par gestes avec un interlocuteur qui ne parle pas la même langue). Dans certains contextes, elle fait partie de la tradition. Par contre, aller au-delà des positions pour se concentrer sur les intérêts en jeu, imaginer des solutions procurant un bénéfice mutuel et utiliser des critères objectifs demande un gros effort et, quand l'autre partie * semble récalcitrante, beaucoup de maîtrise et de maturité.

* La partie adverse, terme que nous avons utilisé dans le cours de l'ouvrage, désigne, en fait, la partie que l'on a en face de soi (latin : *ad versum*) mais, par une série de glissements : adversaire, puis ennemi — elle comporte aujourd'hui une connotation d'hostilité qui pourrait aller à l'encontre du propos des auteurs. C'est pourquoi nous préférons l'éviter et demander au lecteur de lire « l'autre partie » chaque fois que nous l'avons employé *(NdT)*.

Dans presque tous les cas, le résultat obtenu grâce à la négociation raisonnée satisfera davantage les deux parties. La question est de savoir si l'enjeu de la négociation vaut cet effort. Il convient de s'interroger sur un certain nombre de points.

Est-il important d'éviter un résultat arbitraire ? Si, comme dans le cas de l'entrepreneur évoqué au chapitre 5, l'on négocie la profondeur des fondations d'une maison, on évitera de marchander sur des positions arbitraires, même si cela facilite la conclusion d'un accord. Même quand on négocie l'achat d'une antiquité unique, c'est-à-dire d'un objet sans valeur objective, il est probablement avisé de sonder les intérêts du vendeur et de chercher des solutions. Néanmoins, en abordant une négociation, il faut prendre en considération l'importance que l'on doit accorder à trouver une réponse objective au problème. L'enjeu est différent selon qu'on négocie la construction d'un immeuble de bureaux ou celle d'une cabane à outils. Il est plus important si d'autres transactions doivent suivre.

Quel est le degré de complexité de l'affaire ? Plus l'affaire est complexe, plus on a de raisons d'éviter la négociation sur des positions. La complexité nécessite une analyse minutieuse des intérêts communs et de ceux qui peuvent être conciliés. Le travail de réflexion approfondie sera d'autant plus facilité que les deux parties se sentent engagées dans une résolution en commun des problèmes.

Est-il important de maintenir de bonnes relations de travail ? Si l'autre partie est un bon client, la poursuite de bonnes relations avec lui l'emporte peut-être sur les résultats qu'on escompte de la conclusion d'un accord. Cela ne signifie pas qu'on doive perdre de vue ses propres intérêts, mais il est recommandé de ne pas recourir aux menaces ni aux ultimatums qui présentent le risque d'endommager cette relation. La négociation fondée sur des critères objectifs permet d'éviter le choix entre céder ou irriter l'autre partie.

Dans les négociations portant sur un objet, entre des parties qui ne se connaissent pas, où l'exploration des intérêts serait coûteuse et où les deux côtés ont la possibilité de recourir à des concurrents, le simple marchandage sur des positions peut convenir parfaitement. Mais sitôt que la discussion s'enlise, il faut envisager une autre approche : commencer à analyser les intérêts sous-jacents.

Il faut aussi prendre en compte les effets produits par cette négociation sur les relations avec des tiers. Cette négociation est-elle susceptible d'altérer votre réputation de négociateur et donc d'influer sur la manière qu'ont les autres d'aborder la négociation avec vous ? Dans l'affirmative, quels effets cherchez-vous à obtenir ?

Quelles sont les attentes de l'autre partie et seront-elles difficiles à modifier ? Dans la plupart des négociations entre partenaires sociaux, les parties ont une longue tradition de négociations sur des positions âprement défendues.

Chaque côté voit dans l'autre un ennemi et dans la situation une impasse. Il ne tient pas compte du prix exorbitant, payé par tous, des grèves, des fermetures d'usine et des ressentiments. Il est difficile dans ces situations de mettre au point une recherche conjointe de solutions, alors que celle-ci semble d'autant plus cruciale en l'occurrence. Même les parties prêtes à changer leur approche ont du mal à se défaire dans la pratique de leurs vieilles habitudes de rigidité : écouter au lieu d'attaquer, réfléchir au lieu de s'opposer, étudier les intérêts en jeu avant de s'engager.

Certains négociateurs, empêtrés dans des débats contradictoires, semblent incapables d'imaginer d'autres approches avant d'avoir atteint le point de rupture ; et même de l'avoir dépassé. Dans ce genre de situation, on aura intérêt à établir des calendriers réalistes prévoyant une série de négociations complètes. C'est ainsi qu'il n'a pas fallu moins de quatre conventions entre General Motors et le syndicat United Auto Workers pour modifier la structure fondamentale de leurs négociations, et il se trouve d'ailleurs, au sein des deux parties, des individualités qui ne sont pas très à l'aise avec ce nouveau régime*.

A quel stade de la négociation nous trouvons-nous ? La négociation sur des positions pousse chaque partie à rechercher son seul profit sans se préoccuper de l'existence possible de gains mutuels. Il arrive fréquemment que les deux parties quittent la table de négociation avec de gros manques à gagner. Néanmoins, les effets de la négociation sur des positions sont moins graves si elle intervient après que l'on a identifié les intérêts de chacun, imaginé des solutions procurant un bénéfice mutuel et discuté de critères d'équité appropriés.

* En France, les innovations en matière sociale rencontrent encore des oppositions farouches de la part des syndicats. L'expérience de la Société bordelaise de CIC qui a cherché, fin 1992, à éviter des licenciements en instaurant, avec une large concertation, une « contribution salariale de solidarité pour l'emploi » est édifiante à ce sujet. Alors que la majorité des salariés était disposée à faire ce sacrifice temporaire et progressif en fonction du salaire, plusieurs fédérations syndicales ont dénoncé cette démarche comme un « odieux chantage à l'emploi » et un « véritable coup de force », à l'encontre des salariés. Et, malgré la signature par 93 % des salariés de l'avenant autorisant la mise en place du dispositif de flexibilité du salaire et l'appui quasi unanime des élus du personnel, un syndicat a attaqué l'entreprise en justice (Michel Ghazal).

Question 2 : *Que faire si l'autre partie croit à un critère d'équité différent ?*

La plupart du temps, il n'existe pas « une bonne réponse » ou « une réponse unique plus équitable que les autres ». Les parties ont des critères d'équité différents à proposer. Cependant, l'utilisation de critères externes présente trois avantages par rapport au marchandage classique. Un résultat fondé sur des critères d'équité, même divergents, et sur l'expérience sera probablement plus profitable qu'une solution arbitraire.

L'emploi de critères indépendants évite d'avoir à reculer : accepter de se conformer à un principe ou un critère objectifs est plus facile que de céder à une exigence que l'autre partie établit à partir de ses positions. Enfin, contrairement aux positions arbitraires, certains critères sont plus convaincants que d'autres. Au cours d'un entretien d'embauche, le recruteur d'un cabinet juridique de New York ne pourrait dire à un jeune avocat : « Vous ne pensez pas être plus intelligent que moi, je vous offre donc 4 000 dollars, le salaire que j'ai eu quand j'ai débuté dans la profession, il y a quarante ans. » Le jeune avocat mentionnerait l'incidence de l'inflation durant cette période et suggérerait de s'aligner sur des salaires actuels. Si son interlocuteur lui propose un salaire équivalent à ceux pratiqués dans de petites villes de province, il fera valoir que le salaire moyen proposé dans d'autres grands cabinets de Manhattan serait plus approprié.

Un critère aura d'autant plus d'impact qu'il répondra plus directement à l'argument avancé, qu'il sera plus largement admis et qu'il correspondra mieux à la période, au lieu et aux circonstances.

Il n'est pas nécessaire de s'entendre sur le « meilleur » critère. Les parties peuvent se trouver en désaccord sur les mérites respectifs des différents critères, à cause de différences de culture, d'expérience et de perception. S'il était nécessaire de s'entendre sur le « meilleur » critère à utiliser, certaines négociations ne verraient jamais le jour. Un accord sur les critères n'est pas indispensable. Les critères ne sont que des outils qui peuvent aider à trouver un arrangement meilleur que pas d'arrangement du tout. Ils aident à réduire la marge de désaccord et augmentent les possibilités d'accord. Quand les critères ont été affinés au point qu'il est difficile d'affirmer lequel est le plus approprié, les deux parties peuvent recourir à des compensations ou des procédures équitables pour régler les divergences qui subsistent. Elles peuvent tirer à pile ou face, faire appel à un arbitre ou même « couper la poire en deux ».

Question 3 : *Doit-on se montrer équitable quand on n'y est pas obligé ?*

Comment réussir une négociation n'est pas une leçon de morale sur le bien et le mal. C'est une méthode pour négocier efficacement. Son propos n'est pas d'inciter à être bon pour être bon (ni d'en dissuader)[1], ni à céder à la première

1. Nous estimons que, si elle est avant tout une bonne méthode pour obtenir ce que l'on veut en négociant, la négociation raisonnée peut aussi améliorer le monde dans lequel nous vivons. Elle favorise la compréhension entre les gens, aussi bien dans les relations parent-enfant que les relations employeur-employé ou Arabe-Israélien. En se concentrant sur les intérêts et sur les solutions novatrices, on augmente ses possibilités de satisfaction et on limite ses pertes. Les critères d'équité et la satisfaction des *deux* parties sont la base d'accords solides, qui, eux-mêmes, contribuent à bâtir des relations durables. Plus on aura recours à cette approche face aux différences entre les individus et entre les nations, plus le coût des conflits sera réduit. Enfin, outre les avantages sociaux qu'elle procure, cette approche permet la mise en pratique des valeurs d'altruisme et de justice dont l'exercice est toujours gratifiant.

offre qui semble équitable ni non plus à ne jamais demander plus que ce qu'un juge ou un jury estimerait équitable. Il ne cherche qu'à montrer que l'utilisation de critères indépendants pour discuter de l'équité d'une proposition aidera à obtenir ce qu'on mérite et empêchera les abus. Si l'on veut plus que ce qu'on juge soi-même équitable et qu'on pense être assez persuasif pour l'obtenir, certaines des suggestions de ce livre peuvent ne pas sembler très utiles. Mais les négociateurs que nous rencontrons craignent plutôt d'obtenir *moins* qu'ils ne devraient ou de nuire à une relation en réclamant trop fermement ce qui leur revient de droit. Ce livre est destiné à montrer comment obtenir son dû, tout en conservant de bonnes relations avec l'autre partie.

Néanmoins, on a parfois l'occasion d'obtenir plus que ce qu'on juge équitable. Faudra-t-il l'accepter ? Nous recommandons la prudence. Ce qui est en jeu ne se réduit pas à un choix éthique (bien que cela mérite aussi qu'on s'y arrête, notre propos n'est pas de conseiller dans ce domaine). Si l'on est confronté à l'occasion d'obtenir plus que ce qu'on juge équitable, il faudra soupeser les profits et les coûts potentiels avant d'accepter.

Comment évaluer cette différence ? Jusqu'à quel seuil l'estime-t-on équitable ? Quelle importance accorde-t-on au dépassement de ce seuil ? Il faut comparer ce profit et le coût des risques occasionnés, présentés ci-dessous, puis chercher s'il n'y a pas de meilleure solution. (Par exemple, la transaction proposée ne peut-elle être structurée de telle sorte que l'autre partie pense faire une faveur plutôt que l'inverse ?)

Est-on par ailleurs convaincu de la réalité de ces profits potentiels ? N'a-t-on rien laissé échapper ? L'autre partie est-elle si aveugle ? Nombreux sont les négociateurs qui présument trop facilement qu'ils sont plus malins que leurs interlocuteurs.

Le résultat inéquitable sera-t-il durable ? Si, par la suite, l'autre partie juge l'accord inéquitable, elle risque de refuser d'en respecter les termes. Quel serait le coût d'une éventuelle décision judiciaire pour faire appliquer l'accord, ou le remplacer ? La justice risque de refuser de faire appliquer un accord jugé déraisonnable.

Il convient également de savoir où l'on se situe dans la négociation. Un accord inéquitable n'a pas de valeur si l'autre partie se réveille et le dénonce avant sa mise en application. Si l'autre partie déduit de l'incident qu'on a malhonnêtement cherché à profiter d'elle, il risque d'en coûter plus que les termes de l'accord.

Dans quelle mesure un accord inéquitable est-il préjudiciable à une relation de travail ? Sera-t-on amené à négocier de nouveau avec les mêmes interlocuteurs ? Dans ce cas, s'expose-t-on à une revanche de leur part ? Y joue-t-on sa réputation, en particulier sa réputation de négociateur équitable ? Le risque encouru excède-t-il le profit immédiat ?

Une bonne réputation peut être un excellent atout. Elle ouvre un large éventail de solutions qui seraient impossibles sans la confiance du vis-à-vis. Une bonne réputation est plus facile à détruire qu'à bâtir.

Aura-t-on des problèmes de conscience ? Regrettera-t-on d'avoir lésé quelqu'un par un accord déloyal ? Un touriste achète un magnifique tapis du Cachemire à une famille à qui il a fallu une année entière pour le tisser. Astucieusement, il propose de le payer en marks allemands mais l'achète avec des marks qui n'ont plus cours. De retour chez lui, il raconte ce joli coup à des amis qui s'en offusquent, le contraignant à songer au tort qu'il a causé à cette malheureuse famille. La seule vue du tapis finira par le rendre malade. A l'instar de ce touriste, bien des gens estiment que le profit et l'exploitation d'autrui ne sont pas tout dans la vie.

Les personnes.

Question 4 : *Que faire si les personnes elles-mêmes constituent le problème ?*

Certains ont compris que « traiter séparément les questions de personnes et le différend » revenait à occulter la question de personnes. Nous ne dirons jamais assez qu'il n'en est rien. Les problèmes relatifs aux personnes demandent souvent plus d'attention que les problèmes matériels. La propension des hommes à se défendre et à riposter cause l'échec de bien des négociations. Dans une négociation, c'est à ses risques et périls qu'on néglige l'aspect personnel, c'est-à-dire la manière dont on traite son vis-à-vis. Que les problèmes des gens constituent ou non l'essentiel de la négociation engagée, notre conseil est le même.

Établissez une relation de travail indépendante de l'accord ou du désaccord. Plus le désaccord est grave, plus on devra se montrer capable de le gérer. Une bonne relation de travail est celle qui fait face aux différends. Elle ne se bâtit pas en faisant des concessions ou en ignorant délibérément les désaccords. L'expérience montre que les efforts de conciliation se révèlent souvent inefficaces. De même, une concession injustifiée ne facilite pas le règlement de différends à venir. Car si l'on s'attend que, la fois suivante, l'autre partie fasse à son tour une concession, cette dernière, si elle est assez tenace, croit, quant à elle, qu'on cédera de nouveau. (Quand Hitler occupa successivement les Sudètes, puis la Tchécoslovaquie, l'absence de riposte militaire des Alliés l'incita sans doute à croire qu'il pouvait envahir aussi la Pologne sans provoquer la guerre.)

Il est également déconseillé de menacer le registre de la relation pour obtenir des concessions. (« Si je comptais vraiment pour toi, tu céderais. » « Si tu n'es pas d'accord, c'est fini entre nous. ») Même si ce stratagème réussit momentanément, il est néfaste à long terme. Les deux parties auront plus de difficultés à traiter correctement de futures divergences.

Il faut désimbriquer les questions matérielles (termes, conditions, etc.) des questions de personnes ou de tactique. Le contenu d'un accord possible doit être dissocié des questions de forme et de la manière dont vous traitez avec l'autre partie. Chacune des séries de questions doit être négociée en toute objectivité. La liste qui suit illustre ces distinctions.

Questions matérielles

- Termes
- Conditions
- Prix
- Dates
- Chiffres
- Responsabilités

Questions de relation

- Équilibre entre sentiment et raison
- Facilité de la communication
- Degré de confiance et fiabilité
- Acceptation (ou rejet)
- Choix du degré relatif de persuasion (ou de coercition)
- Degré de compréhension mutuelle

Les personnes pensent souvent qu'elles ne peuvent à la fois obtenir des résultats matériels satisfaisants et entretenir de bonnes relations avec l'autre partie. Nous ne sommes pas d'accord. Une bonne relation de travail tend à faciliter l'obtention de résultats matériels satisfaisants (pour les deux parties). Des résultats matériels satisfaisants tendent à favoriser une bonne relation de travail.

On a parfois de bonnes raisons de conclure un accord même si, en termes d'équité, on devrait aboutir à un autre résultat. Par exemple, dans le cadre d'une excellente relation de travail, on peut décider de céder sur un point en étant convaincu qu'à l'avenir l'autre partie reconnaîtra sa « dette » et « renverra l'ascenseur ». Ou décider que, toutes choses bien considérées, un ou plusieurs points ne valent pas un affrontement. Bref, il ne faut pas céder dans le seul but d'améliorer la relation.

Négocier le mode relationnel. Si, en dépit de tous les efforts pour établir une bonne relation de travail et négocier objectivement des divergences sur le fond, les problèmes de personnes demeurent un obstacle, il faut les négocier objectivement. Exprimer sa préoccupation face à l'attitude de l'autre et en discuter comme on le ferait d'une divergence de fond. Éviter de la juger ou de la contester. Expliquer plutôt sa perception de la situation et son sentiment, et se renseigner sur ceux de l'autre. Proposer des critères externes ou des principes d'équité afin de déterminer la manière de traiter l'un avec l'autre et refuser de céder aux pressions. Donner une tournure positive à la discussion en partant du principe que le vis-à-vis modifiera éventuellement son attitude s'il prend conscience de l'ensemble des conséquences de tel ou tel accord sur l'autre.

Dans toute négociation, il faut connaître parfaitement sa MESORE*. Parfois le vis-à-vis ne peut être amené à comprendre que le problème à résoudre est commun que s'il prend conscience du fait que la MESORE * de l'autre lui est préjudiciable.

Faire la distinction entre l'attitude de l'autre partie et la sienne. Il n'est pas nécessaire d'imiter un comportement négatif. Agir de la sorte peut en effet « donner une leçon », mais rarement celle qu'on souhaite. Bien souvent, riposter sur le même mode que le vis-à-vis ne fait qu'encourager les attitudes qui ont déplu. Cela incite l'autre partie à penser que tout le monde agit de la même manière et que c'est la seule façon de se protéger. Notre comportement doit servir d'exemple à celui que nous attendons des autres et ne doit en aucune manière encourager celui que nous réprouvons.

Demeurer rationnel face à des partenaires irrationnels. Beaucoup — peut-être la majorité — de gens se comportent de manière peu rationnelle. Comme il est dit au chapitre 2, les négociateurs sont avant tout des hommes. Nous agissons souvent impulsivement, nous avons des réactions irréfléchies, surtout sous le coup de la colère, de la peur ou de la frustration. Tous, nous connaissons des personnes qui semblent totalement irrationnelles

* MEilleure SOlution de REchange à un accord négocié, cf. chap. 3. Oui mais..., p. 153.

en toute circonstance. Comment faire face à un tel comportement ?

D'abord, même si des gens ne négocient pas rationnellement, il faut soi-même s'y efforcer au contraire. Pas de médecins psychotiques dans un hôpital psychiatrique ! De la même manière, face à des négociateurs irrationnels, on se montrera d'autant plus réfléchi et déterminé.

Ensuite, est-on sûr que les autres agissent de manière irrationnelle ? Peut-être perçoivent-ils différemment la situation. Dans la majorité des conflits, chaque partie est persuadée d'opposer un « non » raisonnable aux exigences de l'autre. Il est possible que les autres estiment telle proposition objectivement injustifiable ou qu'ils accordent une valeur différente aux choses. A moins encore qu'il n'y ait un problème de communication.

Certaines personnes (par exemple, celles qui redoutent de voyager en avion) se comportent parfois d'une manière que nous jugeons en toute objectivité irrationnelle. Cependant, elles réagissent logiquement à la réalité *telle qu'elles la perçoivent.* Elles sont intimement convaincues que cet avion-là va s'écraser. Si nous en étions, comme elles, persuadées, nous ne prendrions pas l'avion non plus. C'est la perception qui est faussée et non la réaction à cette perception. On a peu de chances de les faire changer d'avis en leur expliquant qu'elles se trompent (même en avançant des arguments scientifiques) ni en punissant leurs erreurs. A l'inverse, en faisant preuve de compréhension, en prenant leurs craintes au sérieux et en cherchant à en découvrir l'origine, il est possible de parvenir à modifier leur comportement. En collaborant avec elles, on peut mettre en lumière une lacune logique, une altération de la perception ou un traumatisme que les personnes elles-mêmes peuvent étudier et corriger. Autrement dit, on recherche les intérêts psychologiques qui sous-tendent les positions de l'autre partie, pour l'aider à trouver les moyens de servir au mieux ses intérêts.

Question 5 : *Faut-il négocier avec des terroristes ou quelqu'un comme Hitler ? Y a-t-il des circonstances où il est préférable de* ne pas *négocier ?*

Quelle que soit la répugnance qu'inspire le vis-à-vis, à moins d'avoir une solution de rechange, la question n'est pas de savoir si l'on doit négocier mais comment.

Négocier avec des terroristes ? Oui ! En pratique, on négocie avec eux, même sans leur parler, puisqu'on tente d'influencer leurs décisions — et réciproquement. Doit-on maintenir une certaine distance et avoir recours à des gestes ou à des paroles (« Nous ne négocierons jamais avec des terroristes ») ou doit-on agir plus directement ? D'une façon générale, on a d'autant plus de chances d'exercer une influence qu'on aura l'occasion de communiquer. Quand la sécurité des personnes est en jeu (prise d'otages ou chantage à la violence), le dialogue avec des terroristes se justifie. Étayée d'arguments solides, l'influence s'exercera probablement du négociateur vers les terroristes et non l'inverse. (Les mêmes arguments s'appliquent aux « terroristes » de la négociation, qui ont recours à des pratiques déloyales.)

Négocier ne signifie pas céder. Les rançons, le chantage coûtent cher. En cédant aux chantages, on augmente leur fréquence. En communiquant avec des terroristes (ou des terroristes potentiels), on peut les convaincre qu'ils n'obtiendront pas de rançon, être informé de leurs intérêts légitimes et définir un accord dans lequel aucune des parties ne cède.

Avec l'aide de médiateurs algériens, les États-Unis et l'Iran ont pu négocier la libération, en janvier 1981, de diplomates américains retenus en otages depuis plus d'un an à l'ambassade américaine de Téhéran. La base de cet accord était que *chacune des parties n'obtenait pas plus que ce à quoi elle avait droit :* les otages seraient libérés ; l'Iran paierait ses dettes ; quand leur montant aurait été fixé, les fonds saisis par les États-Unis seraient rétrocédés à l'Iran, diminués de ce montant ; les États-Unis reconnaîtraient le gouvernement iranien et n'interviendraient pas dans ses affaires internes ; etc. Il aurait été ardu, sinon impossible, d'aboutir à un accord sans négocier. Malgré l'illégalité flagrante de la prise d'otages, les deux parties ont tiré profit des négociations qui ont eu lieu à l'automne 1980.

Selon certains, les représentants des gouvernements devraient refuser le dialogue avec les terroristes car cela risquerait de leur donner de l'importance et de cautionner des agissements illégaux. Il est vrai que la rencontre d'un haut fonctionnaire avec des terroristes peut sembler donner à ces derniers une place disproportionnée. Il n'en va pas de même des contacts au niveau professionnel. Les négociateurs de la police* savent que le dialogue direct avec des preneurs d'otages débouche souvent sur la libération des otages et l'arrestation des criminels.

Lors du détournement, en 1988, de l'avion du Koweït Airways, de longues négociations avec les pirates de l'air eurent lieu sur des points dont l'importance décroissait au fur et à mesure que les jours passaient. Le gouvernement koweïtien se contenta d'annoncer dès le début qu'il ne libérerait pas les terroristes chiites détenus au Koweït et ne

* En France le RAID est entraîné à ce type d'opérations (Michel Ghazal).

revint jamais sur ce principe. Pendant ce temps, les autorités chypriotes et algériennes négocièrent sans trêve sur des points tels que l'autorisation d'atterrissage, la fourniture de kérosène, l'accès aux médias et la livraison de nourriture. Chacune de ces transactions permettait la libération de nouveaux otages. En même temps, Chypre et l'Algérie, pays musulmans, faisaient appel à l'idéal islamique de charité et à l'interdiction par Mahomet de la prise d'otages. Finalement, tous les otages furent libérés. Les pirates de l'air furent autorisés à quitter l'Algérie mais aucune de leurs revendications ne fut satisfaite. Cet échec cuisant a sans nul doute contribué à réduire le nombre des détournements d'avions.

Négocier avec quelqu'un comme Hitler. Tout dépend de la situation. On peut choisir de se battre, voire de mourir, pour certains de ses intérêts. Débarrasser le monde du fascisme, combattre les agressions territoriales, mettre un terme aux génocides, relèvent de cette catégorie d'intérêts. Si de tels intérêts sont en jeu et ne peuvent pas être satisfaits par des moyens moins coûteux, on doit être prêt à se battre, si c'est utile et parfois — pour certains — même si cela ne l'est pas.

Par ailleurs, la guerre est une sale affaire trop souvent idéalisée. Si l'on peut atteindre une partie importante de ses objectifs par des moyens non violents, il ne faut pas négliger cette possibilité. Peu de conflits sont aussi déséquilibrés que le fut la guerre de libération du Koweït par les Nations unies. Là encore, si un retrait des forces irakiennes du Koweït avait été négocié, on aurait évité les incendies des puits de pétrole koweïtiens, la pollution du golfe Persique et d'immenses souffrances humaines.

Le point le plus important est que la guerre ne garantit

pas de résultats plus sûrement que d'autres moyens. Staline était par bien des côtés aussi inacceptable que Hitler. Il a commis de nombreuses agressions territoriales, fut responsable d'un génocide et encouragea une idéologie étatiste qui, dans son application, n'était pas sans rappeler le nazisme. Mais, à l'âge de la bombe H, la conquête de l'Union soviétique sur le modèle de celle de l'Allemagne nazie par les Alliés n'était plus envisageable. Les principes en jeu ne semblaient pas non plus justifier un anéantissement mutuel. L'Occident, fermement opposé au communisme soviétique, a attendu qu'il s'effondre de lui-même.

Même avec Hitler ou Staline, il faut négocier, si cela laisse espérer la conclusion d'un accord, qui, toutes choses bien considérées, satisfera nos intérêts mieux que ne le ferait notre MESORE. La guerre n'est, en fait, qu'un moment de la négociation. La violence est destinée à changer la MESORE de l'adversaire, ou la perception qu'il en a, et à l'amener à accepter nos conditions de paix. Il est vital, en cas de guerre, de penser en termes de négociation, de telle sorte qu'on élabore et communique des propositions d'une façon qu'on jugera susceptible de convaincre l'autre.

Faut-il négocier avec des personnes qui agissent par conviction religieuse ? Oui. Les convictions religieuses sont difficilement ébranlables, mais les actions, même inspirées de ces convictions, peuvent être influencées. C'était le cas lors du détournement d'avion de la Koweït Airways. Nous ne répéterons jamais assez que la négociation ne nécessite pas de mettre en péril ses principes. On réussit plus souvent en trouvant une solution compatible avec les principes des deux parties.

Beaucoup de situations semblent n'être que des conflits

religieux. Celui d'Ulster, entre protestants et catholiques, et celui du Liban, entre musulmans et chrétiens, ne sont pas d'ordre religieux. Dans les deux cas, la religion sert de ligne de démarcation entre les deux groupes. Ce clivage est d'autant plus marqué qu'il détermine aussi le choix des lieux d'habitation et de travail, des amitiés et des loyautés politiques. La négociation entre ces groupes est recommandée, elle augmente leurs chances de parvenir à des compromis pratiques conformes à leurs intérêts.

Quand ne faut-il pas négocier ? L'opportunité de la négociation et des efforts qu'elle entraîne dépend de la comparaison entre la valeur de sa MESORE et les résultats escomptés grâce à la négociation. Si la MESORE est parfaite et que la négociation ne semble pas prometteuse, il n'y a pas de raison de perdre du temps à négocier. Si la MESORE est désastreuse, même avec des éléments de négociation peu prometteurs, il est préférable de consacrer un peu de temps à chercher une solution plus satisfaisante. Pour cette analyse, il faut avoir examiné sa MESORE et celle de l'autre partie en détail. On évitera de commettre l'erreur de cette banque qui négociait avec une société pétrolière en faillite. La banque avait le droit de reprendre la totalité de la société, mais le juge de l'affaire voulait que les deux parties s'entendent. La banque offrit de prendre 51 % du capital et de réduire les intérêts de l'emprunt, mais la direction de la société (propriétaire des actions) répugnait à s'engager. La banque perdit des mois à pousser la société à négocier. Naturellement, celle-ci refusait. Sa MESORE consistait à attendre une hausse du prix du pétrole. A ce moment-là, elle put payer son emprunt et rester propriétaire de la totalité de son capital. La banque n'avait pas réfléchi à sa MESORE ou à celle de la société.

C'est avec le juge qu'elle aurait dû négocier, en expliquant à ce dernier que la situation était suffisamment dommageable pour justifier son intervention. Mais elle estimait qu'elle ne pouvait négocier qu'avec la société.

Des gouvernements surestiment à tort leur MESORE. Par exemple, quand ils laissent entendre qu'il reste toujours la solution militaire en cas d'échec des arguments économiques et politiques. La solution militaire n'est pas toujours possible. (Dans la plupart des prises d'otages, il n'y a pas d'intervention militaire qui puisse garantir de récupérer les otages en toute sécurité. Les raids comme celui que l'armée israélienne a dirigé contre l'aéroport ougandais d'Entebbe, conçu et bâti par Israël, sont exceptionnels et deviennent de plus en plus périlleux à mesure que les terroristes s'adaptent aux nouvelles tactiques.) C'est la situation qui détermine l'existence d'une solution : l'objectif peut-il être atteint sans intervention de l'autre partie ? Sinon, qui faudra-t-il influencer, quelle décision souhaite-t-on, et comment, si le cas se présente, la force armée peut-elle peser sur cette décision ?

Sans partir du principe que la solution de rechange vaut mieux que la négociation, ou vice versa, il faut tout examiner en détail avant de décider s'il convient de négocier.

Question 6 : *Comment adapter son approche en fonction de la personnalité, du sexe, de l'environnement culturel de l'autre partie ?*

Par certains aspects, tous les hommes se ressemblent. Ils veulent tous être aimés, respectés des autres et d'eux-mêmes et n'aiment pas qu'on profite d'eux. Par d'autres aspects, les hommes, même issus d'un milieu similaire, sont très différents. Certains d'entre nous sont démonstratifs, d'autres timides ; certains sont prosaïques et ergoteurs, d'autres physiques et émotifs ; certains sont brusques, d'autres délicats et moins directs. Certains ont le goût de l'affrontement, d'autres le redoutent par-dessus tout. Dans la négociation, les gens différents ont des intérêts et des modes de communication différents. Ils ne se laissent pas convaincre par les mêmes arguments et ont des moyens variés de prendre des décisions. Comment concilier ces traits communs et ces différences, lors d'une négociation ? Nous suggérons ici quelques lignes directrices.

Se mettre au diapason. Dans toute négociation, il est hautement recommandé d'être sensible aux valeurs, aux perceptions, aux inquiétudes, au comportement et à l'humeur de ceux avec qui l'on traite. On adaptera son attitude en fonction de ces paramètres. Plus on se mettra au diapason avec le fonctionnement de la personne avec laquelle on négocie, plus on aura de chances de parvenir à un accord. De nombreux facteurs sont à prendre en compte :

- le *rythme* : rapide ou lent ?
- le degré plus ou moins élevé de *formalisme* ?
- la *situation physique* pendant la négociation : proche ou distante ?
- l'*accord écrit ou oral* : lequel engage le plus, est le plus complet ?
- la *communication* : directe ou indirecte ?
- le *délai* : court ou long ?
- la *perspective de la relation* : strictement professionnelle ou plus vaste ?
- le *lieu* de négociation : privé ou public ?
- les *négociateurs* : statut ou compétence ?
- la *valeur des engagements* : définitive ou sujette à révision ?

Adapter nos conseils d'ordre général à la situation. Ils ne s'appliquent pas de la même manière en toute circonstance et avec tout le monde. Mais les propositions de base sont toujours applicables. A moins d'être contraint de faire autrement, on élaborera, à partir d'elles, une approche spécifique à chaque négociation. Le meilleur moyen de mettre en pratique ces principes généraux dépendra du contexte. Prendre en considération le lieu de négociation, la personnalité de l'interlocuteur, l'expérience des précédents contacts, les habitudes de la profession, pour mettre au point une approche qui convienne à la situation.

Être attentif aux différences de convictions et d'habitudes sans réduire les individus à des stéréotypes. Les diverses croyances et coutumes varient d'un lieu du monde à l'autre. Il faut apprendre à les connaître et à les respecter en se gardant des préjugés.

Les attitudes, les intérêts et les autres caractéristiques d'un individu sont souvent très différents de ceux du groupe auquel il appartient. Bien que le Japonais moyen tende à préférer les méthodes de communication et de négociation les moins directes, certains Japonais recourent à tous les modes de négociation connus. Un ministre japonais s'est rendu célèbre par son style « américain », très « carré » — que beaucoup d'Américains ne pratiquent d'ailleurs pas. Des études ont montré que les femmes sont plus susceptibles que les hommes de collecter l'information d'une manière ouverte et moins structurée, qu'elles sont plus sensibles aux questions relationnelles et qu'elles agissent davantage en fonction de leur intérêt pour les autres qu'en s'appuyant sur des règles ou des droits individuels. Toutefois, ces mêmes études montrent que bon nombre d'individus n'ont pas les traits de caractère qu'on attribue à leur sexe en général[2].

Attribuer *a priori* à quelqu'un les caractéristiques de son groupe n'est pas seulement insultant mais encore risqué. Ce faisant, on prive la personne de son individualité. Nous ne pensons pas que *nos* convictions et *nos* habitudes nous sont dictées par le groupe auquel nous appartenons ; le supposer pour les autres, c'est les avilir. Chacun d'entre nous est conditionné par d'innombrables aspects de l'environnement, de l'éducation, de la culture, de l'identité du groupe mais d'une manière imprévisible.

Savoir remettre en question ses présupposés ; écouter activement. Qu'on s'imagine les autres semblables à soi-même ou, au contraire, très différents, il faut remettre en question ses présupposés et savoir que les surprises sont fréquentes dans ce domaine. Les innombrables différences d'une culture à l'autre donnent une idée de ce à quoi on peut s'attendre sans toutefois perdre de vue que chacun d'entre nous obéit à des intérêts spécifiques et possède des qualités qui n'entrent dans aucun moule préétabli.

Les tactiques.

Question 7 : *Comment décider :*
- *du lieu de rencontre ?*
- *de l'initiative dans la négociation ?*
- *de la valeur de la première offre ?*

Avant de prescrire tel médicament ou tel régime, le médecin ausculte son patient et pose un diagnostic. Après

2. Cf. Carol Gilligan, *In a Different Voice* (Harvard University Press, 1982).

quoi, il peut mettre au point une stratégie générale de remise en forme. Il en va de même pour les spécialistes de la négociation. Ils n'ont pas de remède miracle. Avant de donner des conseils tactiques judicieux, il faut connaître les circonstances spécifiques.

Cela peut être illustré par trois exemples.

Le lieu de rencontre. Quelles sont les préoccupations ? Si les deux parties sont très occupées et susceptibles d'être constamment interrompues, l'isolement est une priorité. Si l'autre partie est inquiète et a besoin de sentir son équipe autour d'elle, son bureau est un lieu approprié à un rendez-vous. C'est l'endroit que l'on choisira aussi si l'on désire rester libre de partir quand on le jugera bon. Aura-t-on besoin de graphiques, de dossiers, d'experts au cours de la négociation ? Si l'on souhaite disposer de tableaux à feuillets mobiles ou d'un projecteur, on choisira une salle de conférences dotée de ce matériel.

Qui fait la première offre ? Ce serait une erreur de penser que la meilleure façon de faire une offre est de lancer un chiffre sur la table. Il faut prendre le temps d'examiner les intérêts, les solutions possibles, les critères avant d'avancer une offre. Une offre précipitée risque d'éveiller la méfiance du vis-à-vis. Une fois que les deux parties ont cerné le problème, une offre conciliant les intérêts, les critères en présence sera plus susceptible d'être perçue comme une étape constructive.

Que l'on fasse une offre ou non, on tâchera d'« asseoir » la discussion selon une approche et des critères favorables. Si l'on est mal préparé et que l'on n'a aucune idée de ce qu'il serait raisonnable d'offrir, on hésitera à avancer une idée ou une offre, en espérant que l'autre partie s'en chargera. Mais prudence ! Il est extrêmement risqué d'évaluer la valeur d'un objet à partir de la première offre ou du premier chiffre annoncés par le vis-à-vis. Mieux vaut se renseigner avant d'entamer une négociation.

La question de savoir qui fera la première offre se posera d'autant moins que les deux parties seront mieux préparées. Il est préférable d'apprendre à bien se préparer et à connaître la valeur des choses plutôt que de chercher à savoir qui doit faire la première offre.

Le niveau de la première offre. Nombreux sont ceux qui mesurent leur réussite à la distance qu'ils pensent avoir fait parcourir à l'autre partie. Même si le prix de départ d'un article n'est que celui qui figure sur l'étiquette et qu'il a été fixé arbitrairement, l'acheteur s'estime gagnant quand il obtient un rabais. Il ne vérifie pas les prix du marché. Il ignore s'il paierait moins cher ailleurs et se satisfait de payer un prix inférieur au premier prix demandé.

Sachant cela, comme vendeur, on commencera d'ordinaire par le plus haut niveau qu'il sera possible de justifier sans difficulté. On pourra aussi annoncer le chiffre le plus élevé, jugé équitable par une tierce partie. En procédant de la sorte, il faut présenter d'abord ses arguments et annoncer le chiffre ensuite. En effet, si l'autre partie entend d'abord le chiffre et que celui-ci ne lui convient pas, elle ne prendra pas la peine d'écouter l'argumentation.

Un premier chiffre n'a pas besoin d'être avancé comme une exigence ferme. Car, plus on semble ferme au début, plus on perd de crédibilité si on est amené à le revoir à la baisse. Il est plus sûr et au moins aussi efficace de dire par exemple : « On peut considérer ce que d'autres paient pour un travail équivalent. A New York, c'est du 18 dollars de l'heure. Qu'en pensez-vous ? » On a ainsi fourni un argument objectif et un chiffre sans s'engager définitivement.

La stratégie dépend de la préparation. Deux théories générales de la stratégie méritent d'être examinées. La première est que, dans presque tous les cas, la stratégie est déterminée par la préparation. Si l'on est bien préparé, la stratégie s'impose d'elle-même. Si l'on connaît bien les critères appropriés à la négociation, ceux dont il faudra discuter et ceux que le vis-à-vis emploiera sembleront évidents. Quand on aura examiné parfaitement ses intérêts, on sera à même de distinguer ceux qu'il convient d'exprimer d'emblée, plus tard, voire jamais. Enfin, il faut être sûr de sa MESORE avant de commencer, pour savoir quand il est temps de se retirer.

La seconde théorie est qu'une stratégie intelligente ne peut compenser un manque de préparation. On élabore point par point une stratégie dont on est sûr qu'elle permettra de voler ses chaussettes à l'adversaire, et voilà qu'il se présente... en sandales ! On a prévu d'aborder les questions de relations au commencement de la négociation et l'autre partie veut discuter de MESORE. On n'est jamais certain de la stratégie de l'autre ; il vaut mieux connaître le terrain que de prévoir un chemin précis en terre inconnue.

Question 8 : *Après avoir imaginé des solutions, quels sont les moyens concrets de s'engager ?*

Nous avons proposé de nombreux conseils sur la manière de trouver des solutions avisées et satisfaisantes pour tous et d'éviter ou de surmonter les problèmes relatifs aux personnes. Reste la question de la conclusion de l'accord. Il n'y a pas, en la matière, de procédé meilleur qu'un autre, mais un certain nombre de principes généraux bons à connaître.

Penser à la conclusion dès le début. Avant même de

commencer la négociation, il convient de visualiser l'accord réussi. Cela aide à déterminer les points qui doivent être traités et les moyens de les traiter. Quelle idée se fait-on de l'exécution de l'accord ? Quelles questions faudra-t-il résoudre ? Ensuite, on reviendra en arrière. On se demandera comment l'autre partie expliquera et justifiera l'accord de son groupe. (« On aura les meilleurs salaires d'électriciens de l'Ontario. » « On paie moins cher que la valeur donnée dans deux estimations sur trois. ») Réfléchir à ce que cela représenterait pour soi de faire la même chose. Quelle sorte de contrat permettrait aux deux parties de parler ainsi ? Enfin, penser à ce qui pourrait persuader l'autre partie — et soi-même — d'accepter un accord proposé plutôt que de continuer à négocier.

Garder ces questions à l'esprit au cours de la négociation, au fur et à mesure que l'on dispose de plus d'informations. En se concentrant ainsi sur son objectif, on contribuera à maintenir la négociation sur une bonne lancée.

Élaborer un accord-cadre. Dans les négociations qui aboutissent à un contrat écrit, esquisser les grandes lignes de votre contrat tel qu'on l'a préparé. Un accord-cadre est un document qui se présente comme un contrat avec des espaces pour chacun des points qui seront résolus par la négociation. Le formulaire standard de vente, disponible chez les agents immobiliers, est un exemple d'accord-cadre détaillé. Dans d'autres cas, une simple liste de rubriques suffit. Un accord-cadre, détaillé ou non, garantit que rien d'important n'est négligé pendant la négociation. Il peut servir de point de départ et de programme, en aidant à utiliser le temps efficacement.

Avec ou sans accord-cadre, il est raisonnable de préparer par écrit les termes d'un contrat. Cet avant-projet confère un cadre à la discussion, met en lumière des points importants qui risquent de rester dans l'ombre et donne l'impression de progresser. Les notes en cours de négociation fournissent une trace des discussions et diminuent les possibilités de malentendus ultérieurs. En travaillant sur un accord-cadre, on peut se contenter de remplir les blancs au fur et à mesure de la discussion, ou, être amené, en cas de désaccord, à rédiger des clauses de remplacement.

S'engager par étapes. Tandis que la négociation progresse et que l'on débat des solutions et des critères pour chacun des points, on cherchera une proposition d'accord qui reflète tous les points traités et satisfasse au mieux les intérêts des deux parties. Si l'on n'est pas en mesure de parvenir à un accord sur le choix d'une des solutions qui s'offrent, on tentera au moins de réduire le nombre de solutions envisageables avant de passer à un autre point. Peut-être une meilleure solution ou une possibilité de compensation se présenteront-elles ultérieurement. (« D'accord. 28 000 ou 30 000 dollars pourraient convenir pour le salaire. Quand commencez-vous ? »)

Pour favoriser le remue-méninges, il est bon de s'accorder explicitement sur le fait que tous les engagements sont provisoires. On aura l'impression de progresser pendant la discussion car on ne sera pas freiné par la crainte de voir chaque option perçue comme un engagement. Les engagements provisoires sont convenables et ne doivent pas être modifiés sans raison. Mais il faut énoncer clairement qu'on ne s'engage à rien tant qu'on n'aura pas vu l'accord final. Au début de l'accord-cadre, on peut noter par exemple : « Avant-projet provisoire — Sans engagements. »

Le processus qui conduit à un accord est rarement linéaire. Il faut être prêt à parcourir plusieurs fois la liste des questions à traiter et examiner chacune des questions par rapport à l'accord global et inversement. On peut revenir sur des points épineux à plusieurs reprises ou les laisser de côté jusqu'à la fin, si cela constitue un facteur de progression. Éviter les exigences et les attitudes fermées. Au contraire, offrir des solutions et appeler les critiques. (« Que pensez-vous d'un accord qui suivrait ce schéma ? Je ne suis pas sûr de le faire accepter par mes supérieurs mais il pourrait être de cette nature. Est-ce que, éventuellement, il vous conviendrait ? Sinon, je suis prêt à entendre vos critiques. »)

Il faut être tenace dans la poursuite de ses intérêts sans toutefois s'en tenir à une solution particulière. Un moyen d'être ferme sans rester sur des positions est de séparer ses intérêts des moyens de les satisfaire. Quand une proposition est contrée, plutôt que de la défendre, expliquer ses intérêts sous-jacents. Puis on demandera à l'autre partie si elle voit un meilleur moyen d'y satisfaire en même temps qu'aux siens. Si le conflit paraît insoluble, on demandera s'il y a une raison pour que les intérêts d'une partie soient prioritaires sur ceux de l'autre.

A moins que l'autre partie ne démontre qu'un point de vue est incomplet et doit être modifié, on restera fidèle à son analyse. Quand l'argument avancé est convaincant, on révisera sa propre position, en mettant la logique en avant. (« C'est un bon argument. Un moyen d'estimer ce facteur serait... ») Avec une bonne préparation, on doit avoir anticipé la plupart des arguments que l'autre partie pourrait avancer et réfléchi à la manière dont ceux-ci affecteraient le résultat.

D'un bout à l'autre de la négociation, le but est d'éviter les disputes inutiles. Là où des désaccords persistent, on cherchera un sous-accord pour cerner le point litigieux. On s'assurera que les intérêts et le raisonnement de chacune des parties sont clairs. On cherchera à cerner aussi les présupposés divergents pour en évaluer le bien-fondé. Comme toujours, on tâchera de concilier les intérêts divergents, en employant des critères externes ou des solutions novatrices, et les approches divergentes en ayant recours à des critères d'évaluation ou à des compensations, eux aussi novateurs. Il faut savoir persévérer.

Faire une offre. Au-delà d'un certain point, examiner les intérêts en jeu, imaginer des solutions et analyser les critères devient de moins en moins productif. Une fois qu'une question, ou une série de questions, a été soigneusement étudiée, il faut être prêt à faire une offre. La première offre peut se limiter au règlement de deux ou trois questions clés. (« Je suis d'accord pour le terme du 30 juin, si l'acompte ne dépasse pas 50 000 dollars. ») Ces offres partielles peuvent ultérieurement être combinées dans une proposition globale.

D'ordinaire, une offre ne doit pas susciter la surprise. Puisqu'elle doit découler tout naturellement de la discussion, point n'est besoin de dire : « c'est à prendre ou à laisser », mais il ne faut pas non plus l'avancer timidement comme une simple tentative d'ouverture. Elle doit être raisonnable pour les deux parties, à ce point de la discussion. Bien des négociations aboutissent alors pour peu qu'une offre globale soit faite.

Il convient de réfléchir au lieu et à la manière les plus appropriés pour faire passer son offre. Si la négociation s'est déroulée en public, ou avec un grand nombre de participants, on préférera peut-être s'engager en comité restreint. La plupart des accords sont passés entre les deux principaux négociateurs des deux parties, même si la signature officielle de l'accord a lieu ultérieurement devant un public plus large.

Si l'accord est raisonnable mais que certains points restent obstinément controversés, on cherchera des moyens équitables d'aboutir à une conclusion. Si « on coupe la poire en deux » à partir de chiffres arbitraires, le résultat est nécessairement arbitraire. Au contraire, si « on coupe la poire en deux » à partir de chiffres fondés sur des critères indépendants, légitimes et justifiés, on peut parvenir à un résultat équitable. Une autre méthode pour régler des divergences persistantes consiste à inviter une tierce partie qui, après plusieurs consultations avec chacune des deux parties, pourra rendre un arbitrage de la dernière chance.

Savoir se montrer généreux à la fin de la négociation. Quand on sent que l'on approche de la conclusion, on peut envisager de faire vers l'autre partie un geste qu'elle appréciera, à condition qu'il soit cohérent avec la proposition de base. L'autre partie ne doit pas se méprendre : qu'il soit bien clair que ce geste n'ouvre pas la voie à d'autres concessions. Ce petit plus peut parfois balayer les doutes de dernière minute et permettre de sceller l'accord.

L'autre partie doit quitter la table de négociation avec le sentiment d'avoir été satisfaite et équitablement traitée. Ces bonnes dispositions seront largement payantes lors de la mise en application de l'accord et dans la perspective de négociations à venir.

Question 9 : *Comment tester ces suggestions sans prendre trop de risques ?*

On peut être persuadé que cette stratégie est sensée mais craindre de ne pas savoir la mettre en pratique pour améliorer les résultats de sa méthode habituelle. Comment l'expérimenter sans prendre trop de risques ?

Commencer à petite échelle. Commencer avec des enjeux mineurs, une bonne MESORE, des critères objectifs favorables et pertinents lorsque l'autre partie est susceptible d'accepter cette forme de négociation. Commencer par les idées les plus proches de celles que l'on pratique déjà, avant d'en essayer de plus neuves une par une. A mesure qu'on devient plus expérimenté et plus sûr de soi, on haussera la barre petit à petit en essayant de nouvelles techniques dans des contextes plus significatifs et plus risqués. On n'est pas tenu de tout essayer à la fois.

Savoir investir. Il y a des gens qui jouent au tennis toute leur vie sans faire de progrès. Ils ne sont prêts ni à voir en face ce qu'ils font, ni à envisager de le changer. Les bons joueurs savent que, pour s'améliorer, il faut souvent savoir investir dans de nouvelles approches. Leur jeu risque d'en pâtir tandis qu'ils se familiarisent avec ces techniques nouvelles, mais ils finissent par dépasser leurs possibilités antérieures. Les nouvelles techniques sont payantes à long terme. C'est ce principe qu'il faut appliquer à la négociation.

***Analyser les résultats* a posteriori.** Prendre le temps de réfléchir à ce que l'on a fait, après chaque négociation importante. Qu'est-ce qui a fonctionné, qu'est-ce qui n'a pas fonctionné ? En quoi aurait-on pu agir différemment ? Éventuellement, on tiendra un journal de ces négociations qu'on pourra consulter de temps à autre.

Savoir se préparer. La capacité de négociation n'est pas une qualité en quantité déterminée et que l'on peut mobiliser de façon immuable dans tous les cas. Avant une négociation, il faut beaucoup travailler pour amener son potentiel à l'efficacité maximale dans une situation donnée. En d'autres termes, il faut de la préparation. Il n'y a aucun risque à bien se préparer. Il suffit d'en prendre le temps. Plus on sera préparé, plus on saura se servir de ces suggestions et plus on les trouvera utiles.

On prévoira la manière d'amener et de conserver de bonnes relations de travail avec l'autre partie. On dressera une liste de ses intérêts et de ceux de son vis-à-vis. Puis on imaginera une série de solutions qui pourraient satisfaire le plus d'intérêts possibles. On recherchera un certain nombre de repères et de critères externes susceptibles de convaincre une tierce partie. Quel type de discussion aimerait-on avoir et quels sont les faits ou informations dont on pourrait avoir besoin pour y parvenir ? Quels critères les interlocuteurs retiendront-ils pour justifier un accord auprès de leur groupe ? Si, manifestement, ils éprouvaient des difficultés à le faire, il y a peu de chances que l'accord soit accepté en ces termes. On envisagera les engagements qu'on voudrait voir prendre par chaque partie. On esquissera un accord-cadre possible.

On peut demander à un ami de nous aider à répéter une négociation à venir, en jouant le rôle de l'une ou l'autre des parties en présence. (Tenir le rôle de l'autre partie et écouter sa propre argumentation est une excellente façon de la tester.) On peut aussi s'entraîner avec des amis rodés à la négociation ou avec des professionnels.

La négociation ressemble au sport par bien des points : certaines personnes sont plus douées naturellement et, comme les meilleurs sportifs, elles tirent le meilleur d'elles-mêmes avec de la préparation, de la pratique, de l'entraînement. D'autres, qui ont moins de facilités, ont besoin de plus de préparation, de pratique, d'entraînement, et elles ont tout à y gagner. Que l'on appartienne à l'une ou l'autre de ces catégories, il y a beaucoup à apprendre et les efforts seront récompensés. A vous de jouer.

Le pouvoir.

Question 10 : *La manière de négocier fait-elle réellement la différence face à une partie adverse plus puissante ? Comment devenir un négociateur plus puissant ?*

La manière de négocier (et de préparer la négociation) fait une différence *considérable,* quelle que soit la force respective des deux parties.

Il y a des choses impossibles à obtenir. Évidemment, aussi habile qu'on soit, il y a des limites à ce qu'on peut obtenir en négociant. Le meilleur négociateur au monde ne réussirait pas à acheter la Maison Blanche. Qu'on ne s'attende pas à conclure un accord si l'on est pas en mesure de faire à l'autre partie une offre qu'il jugera plus alléchante que sa MESORE. Mieux vaut alors renoncer à négocier pour tenter d'améliorer sa MESORE et peut-être modifier celle de l'autre partie.

La manière de négocier fait toute la différence. Quand il existe une réelle perspective d'accord, c'est la manière de négocier qui permet ou non la concrétisation de l'accord et la différence entre résultat très satisfaisant ou médiocre. D'elle dépendront aussi la façon de « partager le gâteau » — voire la taille du gâteau à partager — et la qualité des relations avec l'autre partie. Quand cette dernière semble disposer de tous les atouts, la manière de négocier est cruciale. Supposons qu'on négocie, par exemple, une offre d'emploi ou la dérogation à une règle. On a peu de recours si le vis-à-vis repousse la demande, et peu à offrir s'il l'accepte. Dans ce type de situation, la compétence en matière de négociation fera toute la différence. Aussi minces que soient les chances de succès, c'est la manière de négocier qui permettra de les exploiter au mieux.

Ne pas confondre « ressources » et « pouvoir de négociation ». Le pouvoir de négociation est la capacité de persuader quelqu'un de faire quelque chose. Les États-Unis sont un pays riche, doté de la force de dissuasion nucléaire. Pourtant, cela ne s'est pas révélé très utile dans la lutte contre le terrorisme ou pour accélérer la libération des otages détenus au Liban. C'est le contexte — qui l'on cherche à convaincre et de quoi — qui déterminera si les ressources peuvent vous conférer un certain pouvoir de négociation.

Il ne faut pas se demander : « Qui a le plus de pouvoir ? » Essayer d'estimer qui a le plus de pouvoir présente des risques. Si l'on arrive à la conclusion qu'on est le plus fort, on risque d'être moins vigilant et de négliger sa préparation. Si, au contraire, on pense être le plus faible, on risque de se décourager et, là encore, de ne pas assez réfléchir à la façon de convaincre l'autre partie. Quelle que soit la conclusion, elle n'aidera pas à agir au mieux.

On peut faire beaucoup pour accroître son pouvoir de négociation, aussi déséquilibrées que soient les ressources des deux parties. Il y a bien sûr des négociations où les atouts sont entre les mains de l'autre partie. Mais dans ce monde de plus en plus interdépendant, un négociateur habile et tenace trouve toujours des ressources ou des appuis à exploiter, ne fût-ce que pour faire basculer les forces en présence, sinon pour faire pencher la balance du pouvoir de l'autre côté. On ne saura jamais ce qui est possible si on ne tente rien.

Il existe des gens qui préfèrent se dire impuissants et croire qu'ils ne pourront rien changer à la situation. Cette conviction leur évite de se sentir responsable, ou coupable de ne rien faire. Elle leur épargne aussi les efforts qu'ils devraient déployer pour améliorer la situation et d'éventuels échecs qu'ils vivraient mal. Encore que compréhensible, ce sentiment n'affecte pas la réalité de ce qu'on peut accomplir en négociant efficacement. C'est une attitude défaitiste et complaisante.

Il faut être d'emblée optimiste, sans avoir les yeux plus grands que le ventre, sans pour autant épuiser ses ressources dans des causes désespérées. Il est de nombreuses choses qui valent de se battre même si la victoire est incertaine. Plus on s'efforce de les obtenir, plus on a de chances d'y parvenir. Les études sur la négociation montrent toujours une forte corrélation entre les aspirations et les résultats. Il faut penser positif, sans exagérer.

Il y a bien des façons d'accroître son pouvoir de négociation. Comment augmenter son pouvoir de négociation ? Le but de tout cet ouvrage est d'apporter une réponse à cette question. Le pouvoir de négociation s'acquiert de nombreuses façons. L'une consiste à disposer d'une bonne MESORE. Annoncer que l'on dispose d'une solution de rechange est un argument très convaincant, pour peu qu'il soit cru. Mais chacun des quatre éléments de la méthode développée dans la partie II de ce livre — les personnes, les intérêts, les solutions et les critères objectifs — est source de pouvoir. Si l'autre partie est forte sur un de ces terrains, on tâchera de l'être sur un autre. A ces quatre moyens, ajoutons-en un cinquième : le pouvoir de l'engagement.

On gagne en pouvoir en instaurant de bonnes relations de

travail entre les personnes qui négocient. Si la compréhension est mutuelle ; si les sentiments sont reconnus et les personnes traitées avec respect, même quand elles ne sont pas d'accord ; si la communication s'établit clairement, qu'elle se fait à double sens, qu'il y a une bonne écoute ; si les problèmes de personnes sont traités directement, non par des exigences ou des concessions sur le fond, alors les négociations pourront se dérouler sans heurts et procurer de la satisfaction aux deux parties. Dans ce sens, le pouvoir de négociation n'est pas un avantage unilatéral. Le pouvoir de l'un n'implique pas nécessairement l'affaiblissement de l'autre. Les deux parties seront d'autant plus aptes à s'influencer l'une l'autre que leurs relations de travail seront bonnes.

Contrairement à certaines idées reçues, on bénéficiera du pouvoir de conviction de l'autre partie. Deux personnes réputées dignes de confiance seront mieux à même de s'influencer l'une l'autre que deux personnes de réputation douteuse. La confiance que l'on porte à l'autre partie facilite sa démarche, sans compromettre la nôtre. On peut alors conclure en toute sécurité des accords avantageux pour toutes les parties. Une bonne communication est une source considérable de pouvoir. Doter son message de force, écouter les autres, leur montrer qu'on les a entendus — tout cela contribue à accroître le pouvoir de persuasion. John Kennedy était célèbre pour sa capacité à formuler des messages puissants : « Ne négocions pas par peur. Mais n'ayons jamais peur de négocier[3]. »

Un message n'a pas besoin d'être catégorique pour être clair et efficace. Très souvent, en aidant l'autre à comprendre notre point de vue, même s'il n'est pas très tran-

3. Discours d'investiture, 20 janvier 1961.

ché, on réduit ses craintes, on dissipe les malentendus et on favorise la résolution en commun du problème. Prenons l'exemple d'un fournisseur qui, pour un contrat, fait une offre qu'il estime compétitive. L'offre et l'offrant conviennent à un acheteur qui craint néanmoins que l'entreprise de l'offrant, nouvelle sur le marché, ne puisse faire face à ses besoins en période de pointe. Si l'acheteur se contente de dire « non merci » et se tourne vers un autre fournisseur, l'offrant peut supposer que son offre n'a pas agréé à l'acheteur et n'aura aucune possibilité de convaincre celui-ci qu'il pourrait fournir le volume demandé. Il aurait mieux valu pour eux deux que l'acheteur fasse part à l'offrant de son intérêt et de ses inquiétudes.

Une bonne écoute peut permettre d'en savoir plus sur les intérêts de l'autre partie ou sur les solutions possibles. Une fois que l'on a compris les sentiments et les craintes de l'autre partie, on peut commencer à répondre, à repérer les terrains d'entente et d'affrontement, et à mettre au point des procédures utiles pour l'avenir. Examinons le cas de ce vieil homme que ses médecins voulaient transférer de son ancien hôpital à un nouvel établissement doté de matériel spécialisé. Les médecins lui expliquèrent à plusieurs reprises que ce second hôpital lui conviendrait mieux, mais en vain. Sachant que le vieillard agissait contre ses propres intérêts, ils jugèrent son attitude irrationnelle. Mais un interne prit l'homme au sérieux et écouta attentivement les raisons que celui-ci donnait de son refus. Le patient raconta qu'il avait souffert d'abandons répétés au cours de sa vie et qu'il voyait dans ce déménagement un nouveau risque d'être abandonné. L'interne put alors discuter directement de ces craintes et le patient, rasséréné, accepta d'être transféré.

En montrant à son vis-à-vis qu'on l'a entendu, on augmente ses propres chances de le persuader. Il se sent écouté et se montre donc disposé à écouter. Il est facile d'écouter quelqu'un qui partage notre point de vue. Il est plus difficile de savoir écouter un argument qu'on rejette, mais c'est là que cette capacité d'écoute se montre la plus efficace. Il faut écouter avant de réfuter. Il faut s'interroger, s'assurer qu'on a compris l'autre partie et qu'elle se sait comprise. Ainsi elle ne pourra voir dans le désaccord un simple manque de compréhension.

On gagne en pouvoir en comprenant les intérêts en présence. Plus on comprend les intérêts des autres, plus on est à même de les satisfaire à un moindre coût. Il faut chercher les intérêts cachés et impondérables. Face à des intérêts concrets comme l'argent, il faut se demander ce qu'ils cachent. (« Quelle est la destination de cet argent ? ») La position affirmée avec le plus de fermeté et semblant la plus inacceptable peut parfois refléter des intérêts sous-jacents compatibles avec les nôtres.

Un homme d'affaires envisageait d'acheter une station de radio. Le propriétaire majoritaire était prêt à céder les deux tiers en sa possession en contrepartie d'une somme raisonnable, mais le détenteur du tiers restant (en outre, directeur de la station) exigeait, pour sa part, un prix exorbitant. L'homme d'affaires réitéra son offre sans résultat et s'apprêtait à abandonner l'affaire. Il se renseigna sur les intérêts du second propriétaire et apprit qu'il s'intéressait moins à l'argent qu'à la direction de la station de radio. Il proposa de n'acheter que la partie de son lot dont il avait besoin pour des raisons fiscales et de le maintenir à la tête de la radio. Cette offre acceptée économisa près d'un million de dollars à l'homme d'affaires. Comprendre les intérêts sous-jacents du vendeur a considérablement accrû le pouvoir de négociation de l'acheteur.

On gagne en pouvoir en imaginant des solutions élégantes. Un remue-méninges réussi augmente le pouvoir de persuasion. Une fois que les intérêts des deux parties ont été compris, il est souvent possible, comme dans l'exemple de la station de radio, d'imaginer un moyen intelligent de faire concorder ces intérêts, parfois en inventant une solution judicieuse. Prenons le cas d'une vente aux enchères de timbres où les mises restent secrètes. Le commissaire-priseur souhaite que les enchérisseurs fassent des offres aussi hautes que possible. Les acheteurs potentiels, quant à eux, ne veulent pas payer plus que nécessaire. Dans une vente aux enchères secrètes ordinaire, chacun des participants tente d'offrir un peu plus que ce qu'il estime que ses concurrents offriront et un peu moins que ce qu'il serait prêt à payer. Dans une vente aux enchères de timbres, la règle veut que le plus offrant obtienne les timbres au prix de la deuxième offre la plus élevée. Les acheteurs peuvent faire l'offre qui correspond exactement à la somme qu'ils sont prêts à dépenser, puisque le commissaire-priseur leur garantit qu'ils n'auront pas à la payer ! Aucun enchérisseur n'en est réduit à regretter de n'avoir pas offert davantage et le meilleur offrant est content de payer moins qu'il n'a enchéri. Le commissaire-priseur est également satisfait, sachant qu'avec ce système, contrairement à celui des enchères traditionnelles, la différence entre les deux meilleures offres est moins importante que l'augmentation globale du niveau des offres.

On gagne en pouvoir en employant des critères externes de légitimité. Avec les critères de légitimité, on peut à la fois attaquer l'autre partie en tâchant de l'influencer et se défendre contre les pressions exercées pour qu'on cède arbitrairement. (« J'aimerais pouvoir vous faire une remise mais ce prix est définitif. C'est celui que General Motors a payé la semaine dernière pour ce même article. Voici la facture. ») Exactement comme un avocat augmente son pouvoir de persuasion en faisant appel à la jurisprudence, un négociateur accroît son pouvoir en recourant à des exemples, des principes et autres critères externes d'équité et en les présentant avec force : « Je ne demande ni plus ni moins que ce que vous donnez à d'autres pour un travail équivalent. » « Nous paierons cette maison à sa juste valeur, si nous pouvons nous le permettre. Nous offrons le prix payé pour la maison du même type qui a été vendue à proximité le mois dernier. A moins que vous nous fournissiez une bonne raison de demander plus, notre offre est ferme et définitive. » Convaincre le vendeur qu'on ne demande pas plus que ce qu'équité commande constitue l'argument le plus fort que l'on puisse avancer.

On gagne en pouvoir en mettant au point une bonne MESORE. Comme on l'a vu au chapitre 6, un moyen fondamental d'augmenter son pouvoir est de se ménager une excellente porte de sortie. Une MESORE séduisante est un bon moyen de persuader l'autre partie d'offrir plus. (« L'entreprise voisine m'offre 20 % de plus que mon salaire actuel. Je préférerais rester chez vous, mais étant donné le coût de la vie, à moins d'être bientôt augmenté, je vais devoir accepter leur offre. Pensez-vous qu'il y ait quelque chose à faire ? »)

On a intérêt à préparer, en plus de sa MESORE générale (ce que l'on fera en cas d'échec de la négociation), une « micro-MESORE » pour le cas où *cette* rencontre n'aboutirait pas. Il est utile de rédiger un mot accompagnant sa sortie. (« Merci de m'avoir fait part de votre point de vue et d'avoir écouté le mien. Si je décide d'aller plus avant, je reviendrai vous voir, peut-être avec une nouvelle proposition. »)

Parfois il est possible, et légitime, de faire en sorte que la MESORE de l'autre partie se dégrade. Par exemple, un père de famille de notre connaissance essayait d'obtenir de son fils qu'il tonde la pelouse. Il lui offrit une coquette somme mais en vain. Finalement, le fils révéla étourdiment sa MESORE : « Mais papa, je n'ai pas besoin de tondre la pelouse pour avoir de l'argent. Tu... euh... laisses ton porte-monnaie dans l'entrée tous les week-ends... » Le père changea immédiatement la MESORE de son fils en ne laissant plus son porte-monnaie à disposition et en lui expliquant qu'il ne devait pas prendre d'argent sans le demander. Le fils s'est mis à la tonte de la pelouse. La tactique qui consiste à dégrader la MESORE de l'autre peut être utilisée comme instrument de coercition ou d'exploitation mais elle peut aussi conduire à des solutions équitables. Les efforts pour améliorer ses solutions de rechange et dégrader celles de l'autre partie constituent des moyens décisifs d'augmenter son pouvoir de négociation.

On gagne en pouvoir à préparer soigneusement ses engagements. Une source de pouvoir mérite l'attention : les engagements. Il existe trois façons de s'engager : annoncer ce que l'on est prêt à faire (par une offre ferme), annoncer, avec précaution, ce que l'on refuse de faire et, enfin, annoncer ce que l'on attend des autres.

Il faut dire clairement ce que l'on fera. Annoncer au moment propice une offre ferme est un bon moyen d'accroître son pouvoir de négociation. Ce faisant, on fournit une solution qu'on acceptera et on montre qu'on n'est pas hostile à d'autres solutions éventuelles. Si l'on veut convaincre quelqu'un de prendre un emploi, il ne faut pas se contenter d'en parler, mais faire une offre. On renonce à ses chances de marchander de meilleures conditions mais on simplifie le choix de l'autre partie en facilitant sa décision. Il ne lui reste plus qu'à dire « oui » pour que l'accord soit conclu.

En annonçant clairement et fermement ce que l'on fera en cas d'accord, on évite à l'autre partie de spéculer sur une éventuelle escalade d'exigences. En 1990, le Conseil de sécurité des Nations unies voulut contraindre l'Irak à se retirer du Koweït en appliquant des sanctions. Les résolutions du Conseil établissaient clairement que l'Irak devait se retirer sans spécifier que les sanctions seraient levées en cas de retrait. Si Saddam Hussein a cru que ces sanctions seraient maintenues après son départ du Koweït, elles ne l'incitèrent pas à retirer ses troupes.

Plus l'offre est concrète, plus elle est convaincante. Écrite, elle est plus crédible qu'une proposition orale. (Un agent immobilier aimait que ses clients fassent leur offre en entassant des liasses de billets de cent dollars sur la table.) On peut assortir son offre d'un délai de forclusion qui indiquera une date ou des conditions d'extinction de l'offre. Ainsi, l'investiture du président Reagan, en 1981, mit un terme aux négociations pour la libération des otages détenus au Liban. Les Iraniens ne voulaient pas entamer de pourparlers avec un nouveau gouvernement américain.

On peut être amené à annoncer ce qu'on fera si l'autre partie n'accepte pas telle proposition. Peut-être ne se rend-elle pas compte des conséquences que notre MESORE aurait pour elle. (« Si nous n'avons pas de chauffage dans notre appartement ce soir, j'appellerai les services sociaux. Savez-vous qu'ils infligent aux propriétaires défaillants des amendes de 250 dollars ? »)

Annoncer éventuellement ce que l'on refuse de faire. On peut convaincre les autres de préférer l'offre qu'on leur fait à leur MESORE en leur affirmant qu'on ne peut ou ne veut faire une offre supérieure. (« C'est à prendre ou à laisser. ») En faisant ce type d'offre, on s'interdit de revenir en arrière. Comme il est indiqué au chapitre 1, camper sur une position peut coûter cher. Cela limite la communication et fait courir le risque de détériorer la relation de travail en amenant l'autre partie à penser qu'elle est ignorée ou contrainte. Il y a moins de risques à agir ainsi après avoir compris les intérêts de l'autre partie et recherché des solutions procurant des bénéfices mutuels. Quant à la relation de travail, elle sera moins menacée si l'on fournit des raisons crédibles et indépendantes de la volonté pour expliquer et justifier son inflexibilité.

A un certain point de la négociation, il vaut parfois mieux annoncer une dernière offre et la maintenir. On influence ainsi les autres en dégradant leur micro-MESORE. S'ils disent « non », ils renoncent à la possibilité d'obtenir un meilleur accord avec vous.

Il faut exprimer clairement ce qu'on attend de l'autre partie. Il faut prendre la peine de réfléchir aux termes précis de l'engagement que l'on attend de l'autre partie. Cette précaution garantit que la demande est raisonnable. « Suzanne, promettez-moi de ne *jamais* m'interrompre quand je serai au téléphone » : cette exigence serait catastrophique si Suzanne tenait sa promesse même en cas d'urgence. On évitera les engagements bâclés, trop vagues, qui ne réussissent pas à lier l'autre partie, laissent de côté des informations cruciales et ne sont pas fonctionnels.

Surtout quand on veut que le vis-à-vis *agisse* dans un sens précis, il convient de lui dire précisément ce qu'on attend de lui. Sinon, il risque de ne rien faire, par crainte d'en faire trop. A l'automne 1990, l'ambiguïté des exigences américaines a réduit le pouvoir que les Américains auraient pu exercer sur Saddam Hussein. Selon le moment, on a pu croire que le retrait des troupes irakiennes du Koweït, la destruction de l'armement nucléaire, le démantèlement de la force militaire de l'Irak, voire le renversement de Saddam Hussein étaient les objectifs que se fixaient les États-Unis.

Savoir tirer le meilleur parti de son potentiel. Il faut savoir utiliser harmonieusement l'ensemble des moyens d'augmenter son pouvoir. Les négociateurs ont trop souvent tendance à en privilégier un qu'ils jugent plus efficace que les autres. S'il dispose, par exemple, d'une bonne MESORE, il peut en menacer l'autre partie pour faire accepter sa dernière offre. Cela aura pour conséquence probable de diminuer la force de l'argument selon lequel l'offre est équitable. Si l'on veut révéler sa MESORE, mieux vaut le faire d'une manière qui respecte les bonnes relations, la communication à double sens, souligne la légitimité de l'offre finale et suggère en quoi cette dernière satisfait les intérêts de l'autre partie, etc.

L'efficacité d'un négociateur s'accroît aussi quand il croit à ce qu'il dit et à ce qu'il fait. Quelque usage que l'on espère pouvoir faire des idées et suggestions contenues dans le livre qu'on vient de lire, il ne faut pas les adopter comme on revêtirait un costume d'emprunt. Il faut les mettre à ses mesures pour s'y sentir à l'aise. Pour ce faire, on n'hésitera pas à expérimenter, si nécessaire, au risque de traverser une période de relatif inconfort. Mais, pour finir, il est vraisemblable qu'on parviendra à optimiser ses capacités de négociation à condition de penser ce que l'on dit et de dire ce que l'on pense.

Table

Aux mêmes éditions

D'une bonne relation
à une négociation réussie
Roger Fisher, Scott Brown
1991

Mange ta soupe et… tais-toi !
Une autre approche des conflits
parents-enfants
Michel Ghazal
1992

Comment négocier
avec les gens difficiles
De l'affrontement à la coopération
William Ury
1993

COMPOSITION : HÉRISSEY À ÉVREUX (EURE)
IMPRESSION : S. N. FIRMIN-DIDOT AU MESNIL-SUR-L'ESTRÉE
DÉPÔT LÉGAL : 3e TRIM. 1982. N° 20512 (26259)

LE HARVARD NEGOTIATION PROJECT

Le Harvard Negotiation Project est un programme de recherche sur les problèmes liés à la négociation, qui met au point et fait connaître des méthodes améliorées de négociation et de médiation.

Les activités du HNP comprennent :

– **L'élaboration de théories** : Le HNP a élaboré des idées comme la procédure à texte unique, utilisée par les Etats-Unis lors des négociations de Camp David en septembre 1978 ; et la méthode de négociation raisonnée ou négociation sur le fond qui est résumée dans le présent ouvrage.

– **Le HNP accueille** : Avec la participation active de ses membres, les réunions du Negotiation Seminar qui regroupe, dans une structure assez lâche, des chercheurs de Harvard, du MIT et de l'université de Tufts travaillant sur la théorie de la négociation.

– **Enseignement et formation** : Le HNP élabore des programmes destinés aux professionnels (avocats, hommes d'affaires, diplomates, journalistes, fonctionnaires, responsables syndicaux, officiers, etc.) et prépare des cours à l'intention des étudiants et lycéens.

– **Publications** : Le HNP produit des manuels pratiques, tels que *International Mediation : a Working Guide,* un aide-mémoire destiné aux négociateurs, des études de cas et des formulaires à l'usage des praticiens et des étudiants.

– **Clinique des conflits** : Les participants à divers conflits en cours, internationaux ou intérieurs, sont parfois invités à venir en parler aux membres du HNP, afin que les uns et les autres approfondissent leurs connaissances sur le processus de la négociation.